地域循環型経営

島原俊英
SHIMAHARA TOSHIHIDE

幻冬舎MC

はじめに

私は宮崎県日向市で従業員60人ほどの食品加工機械の製造会社を経営しています。1999年に父から会社を継いでほしいと頼まれ、大手企業でのサラリーマン生活に終止符を打ち地元に戻りました。

18年ぶりに地元の宮崎に帰ると、以前は多くの人たちが行き交いにぎやかだった街が寂れ、商店街も人影はまばらで、若い人たちも以前よりも明らかに減っていました。日本のほかの地方都市同様、地方市場の縮小により経済が悪化している状況だったのです。

地域経済の衰退を食い止めるために宮崎県でも大手企業の生産拠点を誘致して新規の雇用を創出するなどといった施策が取られていました。これにより新たな雇用は確かに生まれ一時的に活気づきましたが、宮崎から都市部への人材流出は止まっていません。これはいってしまえば大手企業の生産拠点で働くということはほかの地域でもでき、優秀な人材にとって特に魅力のある仕事に映らず、宮崎にとどまる理由にならないからです。

地元宮崎を活性化させるために何かできることはないのか――。

私は地方経済の主役である地元の中小企業が衰退している現状をわがこととしてとらえ、向き合わなければ、宮崎の未来はないと思いました。

宮崎出身者が戻りたい、在住者が住み続けたい、そして宮崎にルーツがない人でも移住したいと思ってもらえるような地域にしていかなければ、地方創生は実現できません。そのためには宮崎の中小企業が魅力的な仕事を創出する必要があると考えたのです。

そこで私が取り組んだのは「地域循環型経営」です。これは地方の衰退を食い止めるために地域のヒト・モノ・カネを活用しながら持続的な拡大再生産のサイクルを回し続ける経営です。

この経営の一環として宮崎県の農業課題を解決するために、自社技術を活かした野菜加工や保存設備製造というビジネスに参入しました。地域の人が、地域の特産品である野菜を安定的に生産しそれを県外で売り、その収益を地域の人に還元したり、地域課題解決のために投資したりする……ということを繰り返していくことで宮崎が持続的により豊かになっていくと考えたからです。そしてこのビジネスの持続性や地域貢献度の高さから注目を集め、地域の人たちがやりがいをもって働く場を生み出すことができたのです。

本書では、地方創生のために行った地域循環型経営とはどのような取り組みか、具体的にまとめています。地方の厳しい経営環境のもと、生き延びるために粘り強く模索を続けている全国の中小企業経営者の皆さんの参考になれば幸いです。

地域循環型経営　目次

［第3章］　地域循環型経営の第一歩

地方中小企業のネットワークを構築する

［第5章］

［第1章］

染みついた受け身体質……
新たな価値を生み出せない
地方中小企業

染みついた受け身体質

中小企業庁の発表によると日本の中小企業数は約358万社にのぼり、総企業数の99・7%を占めています。また従業員数は約3220万人でこれは日本の雇用全体の約7割を担っていることになります。

この数字を見ても中小企業が日本および地域の産業と社会を支える極めて重要な存在であることは改めていうまでもありませんが、その多くが苦境に立たされる状況になって久しく、現在も2年以上に及ぶ新型コロナウイルスのパンデミックによる消費減退、原油や原材料価格の高騰によるコストアップ、部材調達難に起因する生産活動の停滞、深刻な人手不足、後継者の不在といったさまざまな要因が重なり厳しい経営を余儀なくされています。

企業倒産件数としては2008年のリーマンショック後をピークに減少傾向にあるものの、休廃業・解散を選ぶ中小企業は2016年以降毎年4万件を超え、2021年にはコロナ禍の影響も手伝って4万4377件と2000年の調査開始以降3番目に高い数字が報告されています（中小企業庁「中小企業白書・小規模企業白書（2022年版）」）。

なぜ日本の産業を支えている屋台骨が存続に苦しんでいるのか。その理由は手本となる欧米企業にキャッチアップすることで成長を遂げてきた経済構造から転換できていないこと、そして日本の中小企業の多くが下請けだということです。

日本の中小企業のうち下請けの割合は全体の47・9％となっており、実に半数近くが下請けです（経済産業省「商工業実態基本調査」）。地域別に下請け企業の割合を見ると最も多いのは岐阜県の70・9％で、次いで福井県の63・1％、長野県と山梨県の59・0％、石川県の58・7％となっており、私の会社がある宮崎県は30％ほどとなっています。

日本の製造業では親企業を頂点として一次、二次、さらに三次と下請け企業が連なるピラミッド型の下請け分業構造が一般的で、親企業である大手企業は下請け企業の専門性の高さや技術力、小回りの利く生産体制を活用して研究開発投資や設備投資負担を抑えています。そればかりか大手企業は下請け企業をもつことで生産のピークに合わせた大きな労働力を抱えずに済むというメリットも享受してきました。また下請け側の企業も親企業の営業力や企画開発力を武器にして営業活動を行ったり、自社で高度な研究開発を行わなくても常に安定した受注を確保できるというメリットを享受してきたのです。つまりもちつもたれつという関係で相互に補完し合いながらそれぞれが成長の道を歩んできたということであり、このピラミッド型の分業構造こそが高度経済成長期の世界市場において日本の製造業を上位へ押し上げたといえます。

戦後間もなくの経済復興期から1980年代にかけて日本は内需を中心に市場の拡大が続き、大量生産・大量消費の経済を好調に回してGDP世界第2位へと上り詰めました。それを縁の下から支えたのが下請け企業であり、系列化されたピラミッド型の産業構造で大いに日本全体が潤いました。

しかしバブル経済崩壊後の国際環境の劇的な変化のもとで、日本の成長を支えてきた下請け分業構造も大きな変化に見舞われました。親企業はグローバルな市場環境のもとで競争力を高めるために、少しでも安く雇用できる労働者を求めて海外の労働市場を視野に入れ、国際的な分業体制の構築に乗り出しました。そして従来の下請け企業との固定した分業体制を見直し、より低コストで生産できて利益が確保できるように海外の労働力を求めて舵を切り出したのです。

それまで40年近く下請け分業構造にどっぷりと浸かっていた中小企業は、親企業の方針転換に対応することができませんでした。従来の親企業と下請け企業の固定された関係の崩壊は見方を変えれば新たな取引先開拓のチャンスともいえるのですが、海外との競争に突然巻き込まれ、親企業から値下げを要求されれば応じるしかできない受け身体質の下請け企業には何もできません。

そもそも下請け企業には価格の決定権がありません。親企業が受注してきた時点ですでにこの事業でどれだけの利益をどこから確保するのかが決められているため、口を出せない構造なのです。しかもたとえ安過ぎると思っても下請けから離脱する勇気もほかの市場で戦うための機能もありませんでした。

下請けに長年安住していても成長できてきたことから、中小企業は受け身体質に染まってしまいました。より安い価格で同じ品質のものを供給する下請け企業が現れたら、親企業から言われるがまま受注価格を値下げせざるを得ません。

また親企業からの受注をそつなくこなすだけの下請け企業には研究開発や営業・マーケティングの力を発揮できる人材は育っておらず、自分の目でマーケットを見つめて何が求められているのかを考え、そのニーズをつかんで自らの技術力を活かした製品やサービスを開発するという企業として当たり前のことができないのです。ピラミッド型の下請け構造のなかに組み込まれ、親会社の顔だけを見ていた中小企業は縦系列のなかに孤立したまま存在しています。

結局、下請け企業はひたすら受け身で親企業からの注文を待つことしかできず、他力本願に待つほかに打つ手はないのです。

経営者を含め社員全員が思考停止状態

地方の多くの中小企業は下請けとして活動するなかで売上確保・固定客対応に徹し、受け身体質を内在化させてしまいました。従業員も経営者もそれまで継続していた親企業からの受注が止まったらただ思考停止するしかありませんでした。

私の会社も以前は同様でした。

創業者であり初代社長の父親から受け継いだ会社は従業員50人、年間売上が6億円から8億円ほどの鉄工所で、下請けを中心としている中小企業の1社でした。

食肉加工や醸造関連など食品工場向けを中心に産業機械・設備の設計、製造、設置を主な事業としており、大手エンジニアリングメーカーの下請け業務が売上の約7割で、下請け率の高さという点でも典型的な地方の中小企業でした。

私がそれまでのサラリーマン生活に終止符を打ち、会社を引き継いだ１９９９年はバブル経済崩壊後の深刻な不況下で会社は創業以来続いていた勢いを失い行き詰まっていました。会社は１９９７年から１９９９年まで3期連続の赤字決算となり、なかでも１９９８年は売上高が前年比25%減の６億２０００万円で、単年度で３５００万円という過去最大の赤字額を記録し、前後を含む3期合わせての赤字額は６０００万円に膨らんでいました。

赤字決算の理由は明確でした。長年付き合いのあった大手エンジニアリングメーカーからの受注が大幅に減少したことです。収入がどんどん減っていくにもかかわらず、人件費や工場設備の維持費といった固定費をそのまま見直さなかったため負担が大きくのしかかり会社の存続が危ぶまれました。そういった状況のなかで父の会社に入った私が目の当たりにしたのは下請けという立場がマインドに深く影響し、社員は誰も自分から動かない・動けないという受け身体質でした。

　本来、注文がないならどうすれば受注を増やすことができるのか、何が求められているのかを当然考えるはずですが、染みついた受け身体質のために自分から新たな注文を取りに行くというマインドをなくしていたのです。

　私の地元・宮崎には製糖や食鳥処理、食肉処理、醸造などの大工場があり、それぞれに特化した産業機械や設備を供給する大手エンジニアリングメーカーが存在しています。大手エンジニアリングメーカーは工場設備機械を受注すると自社で生産した機械を納めますが、付属設備などは小回りが利く地元の中小企業に任せるのが一般的です。大型の主要機械・設備は自社の主力製品、据付や試運転、日常的な運転とメンテナンスについては地の利があり小回りが利く地元の中小企業に任せることが多いのです。

私の会社も自ら営業活動をして大きな産業機械の製造を受注するのではなく、エンジニアリングメーカーが営業して確保した注文の一部を請け負ったり、据付や運転、メンテナンスを主力業務にするという典型的な下請けでした。

自社独自の製品をまったく製造していないということではなく、大手メーカーの工場設備について据付・運転・メンテナンスなどをしていれば、当然、工場の責任者と親しくなり信頼関係も生まれ、簡単な設備の注文を直接もらう機会もでてきます。しかし大掛かりな機械を新規受注するとなるとやはり大手エンジニアリングメーカーのような資本力や総合力をもっていないため、下請けは入り込むことはできません。たとえ私の会社にその製造能力があったとしてもパートナーとして積極的に役割を担う戦略もあるため、連携による共生の道を選びます。逆にいえば荒らし行為をしないという安心感があるからこそ大手エンジニアリングメーカーも下請けとして私の会社を使ってくれているということなのです。

右肩上がりの経済状況で次々とエンジニアリングメーカーから注文がきている間は、売上は自動的に上がっていきます。自社は営業をしなくて済むので中小企業として不足する営業力を補うことができます。声が掛かったら出かけていって仕事をするだけで、その仕事は大手エンジニアリングメーカーが取ってきてくれるのです。価格決定権はなく受注金額は低く抑えられてしまいますが、安定という面を考えれば悪くないと考えるのです。

しかし景気が悪くなってエンジニアリングメーカー自身が営業で苦戦し、受注が縮小したら下請けの中小企業に未来はありません。大手エンジニアリングメーカーは売上を確保するために系列に任せていた仕事をより安い下請けに依頼するようになります。より可能性のある地域に営業の重点を移してしまうのは時間の問題です。

いずれにしても下請けで楽をしていた会社はこうなったときに何もすることができません。ただ注文の復活をじっと手をこまねいて待つしかないのです。

「指示があればやります」という社員たち

あるとき私はベテランの従業員から「指示をくれれば俺たちは一所懸命やる。だからちゃんと指示を出してくれ」と面と向かって言われたことがあります。言葉の内容はともかく、その態度があまりにも「業績が悪いのは上の責任、自分たちは関係ないし、会社自体に興味がない」という本音が見え見えだったので呆れてしまいました。経営レベルのことはともかく、現場の改善方法を考えたり、工程の無駄を減らす工夫をしたりすることは、ベテランのリーダー格である彼らが自分から動く社風でなければならないと悩みました。要は危機感がなく、会社全体の情報も共有されておらず、自分の都合を優先し、ところどころ対応すれば良しとする従業員が多数だったのです。

ただし下請けとして事業を行っていた多くの中小企業も同様だと思いますが、個人がもっている技術は優秀でした。細かな要望に応じた鉄板の精密な加工技術や巧みな溶接技術をはじめ、長い現場経験に裏打ちされた町場の鉄工所ならではの優秀な技能をもったベテラン従業員は少なくありませんでした。しかしその技術力も新たな需要開拓に使われるわけではなかったのです。

工場内にはベテランの技術者がリーダーになり、お気に入りの部下を徒弟のように従えた小グループがいくつもできていました。自然発生的なもので会社がつくった組織ではなく職制には無関係です。各グループは助け合うこともしません。あるグループが仕事を抱えて苦労しているときに少し手伝えば仕事が片付くと分かっていても別のグループは手を出さないことが習わしとなっていました。

ある人間が間違ったやり方をしていることに気づいても別のグループの人間なら注意すらしないということも起こっていました。せっかくの技術力がつまらない仲間内の意地の張り合いや優劣の競い合いに浪費されていて組織や会社の力として発揮されていなかったのです。これも長年の下請け業務がつくった受け身体質の表れでした。来た仕事を右から左に流している間に技術力は内輪で権勢を誇示する役割しかもたなくなっていたのです。職人としての意地や誇りが妙な縄張り意識を生んでいました。

この受け身体質を温存する限り下請けに甘んじ続けるほかはなく、下請けでいる限り受け身体質を脱することはできません。会社はマイナスのスパイラルに陥っていると思わざるを得ませんでした。

私は父から引き継いだ会社に日本の中小企業の典型的な姿を見ましたが、全国にはきっと同じように思考停止した地方中小企業が存在しているのだと思います。

厳しさを増す地方の経営環境

今、日本の中小企業を取り巻く経営環境は厳しさを増しています。受け身体質のまま危機感をいっさいもたず悠長に構えていては、日本経済の屋台骨を支えている中小企業はどんどん消失していきます。高度経済成長時代のような常に旺盛な需要があって何でもつくれば売れたという時代は過去のものであり、二度と復活することはありません。下請け構造のなかに自らを位置づけることで安定的な受注を確保することはもうできないのです。なぜなら旺盛な需要拡大の根底にあった戦後の一貫した人口増加は止まり、逆に人口減少が始まっているからです。

総務省統計局、国土交通省のデータによると、終戦の年の日本の総人口は７１９９万人でした。１８６８年の明治維新のときの３３３０万人から急カーブで増え続け、戦後はさらにその勢いを増して、日本の総人口は２００８年に1億２８０８万人まで増えました。しかしそれからは日本の歴史始まって以来の減少に転じています。２０２１年には1億２５５０万人にまで減りました。減少数は年々増加しており２０１９年からの

1年間で約41万人、2020年からの1年間では約64万人が減少しています。島根県の総人口が66万5000人ですから、ほぼ島根県一県の人口が1年で消えてしまったことになります。今後もそれ以上の人口減少が続きます。このペースでいけば2040年の1億1092万人を経て、2065年には8808万人になるものと推計されています。

しかもより深刻なのは年齢構成の変化です。急ピッチで少子高齢化が進んで現在の高齢化率（65歳以上の人口が総人口に占める割合）は28・4%ですが、2036年には33・3%に達し、国民の3人に1人が高齢者になります。この割合はさらに高まって2065年には38・4%に達すると予想されています。かつて日本が高度経済成長に向かっていた1950年の高齢化率はわずか5%に過ぎません。1970年でも7%です。現在の高齢化率がいかに高いか、そしていかに急速に訪れたものであるかはこの数字からも明らかです。働き手の減少は地域のもっていたお金を稼ぐ力や付加価値の創造力が失われることを意味し、地方経済には大きな打撃となります。若者の県外流出は県下の中小企業に深刻な人手不足、後継者不足という問題を突きつけています。

例えば私の住む宮崎県は高校生の県内就職率が60・5%で全国ワースト3位です。15~24歳の県外流出が多く、その理由としては農林水産業や製造業などの第一次産業、第二次産業の比率が高く、若者が魅力を感じる職場が少ないことが挙げられます。一方、素直で真面目という県民性が好感をもたれ、大都市圏や他県から労働力として期待されているという面もあるようです。

また、宮崎県による中小企業労働事情実態調査によれば「経営上の障害」として挙げられたものの理由の第1位が「人材不足（質の不足）」で57・1%に上っていました。第2位が「労働力不足（量の不足）」で43・3%、これも高い数字です。第3位が「原材料・仕入品の高騰」で30・3%でした。宮崎県の雇用労働政策課が２０１７年に県内６４０社を対象に行ったアンケート調査では人手不足について「かなり不足」「やや不足」と答えた企業は全体の70%を超えていました。人材や労働力の不足は地方中小企業にとって特に大きな問題となっているのです。

宮崎県では後継者不足を嘆く声も多く、県内企業２１０１社を調べた民間のアンケート調査では、実に半数を超える１１２０社が「後継者不在」と答えています（帝国データバンク２０２０年調査）。

増田寛也元総務相ら民間有識者でつくる日本創成会議が２０１４年5月に公表した消滅可能性都市に関する調査結果も、地方における若者世代の減少がいかに深刻な問題かを示すものでした。

消滅可能性都市とは同会議が独自に定義したもので「２０１０年から２０４０年にかけて20~39歳の若年女性人口が5割以下に減少する市区町村」のことです。こうした自治体では子どもが減って地域社会や経済、地方財政を支える世代が育たず、無居住地化する可能性が高いというのです。今全国にある１７９９自治体のうち、実に約半数の８９６自治体が該当すると報告されていました。宮崎県についても日南市、小林市、串間市、えびの市の4市をはじめとする15市町村の名前が挙がっています。

実際、宮崎県の調査でも合計特殊出生率（一人の女性が生涯に産むことが予想される子どもの数）の対象となる15歳から49歳までの女性人口については、１９８０年の

29万２０００人をピークに減少を続けており、２０４５年には12万３０００人にまで減少すると推計されています。消滅可能性都市の指摘は決してＳＦ小説の世界のものではなくリアリティをもって地方都市の将来に警鐘を鳴らしているのです。

宮崎県では、ほかの多くの地方都市と同様に人口減少が全国の平均的な水準を超えて急速に進んでいます。すでに地域経済や産業の振興を担う人材の不足が顕著になっていますが、山間地とその周辺の平地を除く地域を合わせた中山間地域では暮らしに必要なサービスの維持さえ難しいという状況が現実のものとなっています。日々の生活用品の購入、行政サービス・医療や介護サービスの利用、災害時の救援といった当然のことすら享受しにくくなっているのです。

こうした厳しい状況のなかでは自分の会社だけを見て対策を考えても展望は見えてきません。会社も大事ですが同時に地域全体が豊かにならなければ未来もないからです。会社も地域もほかでは得られない独自の価値を生み出すことで衰退を食い止めて反転させ、新たな発展の道を歩み始めなければならないのです。

未来が見えない地方の現実

総人口の減少によってあらゆるマーケットが縮小していくだけでなく、高齢化率の急速な高まりによって、医療・介護、年金などの社会保障費は増加を続け、その負担がさまざまな形で家計にのしかかっていきます。給与も年金も減り、しかし税金はどんどん上がっていきます。このままでは成長の推進力を失い、景気がさらに落ち込んでいくことは目に見えているのです。

また、1960年代に始まり1980年代にかけて一気に整備が進んだ道路やトンネルなどのインフラは、今後一斉に大規模な更新を必要とする時期を迎えます。例えば道路橋や河川管理施設（水門等）、港湾岸壁については2033年までに約6割が築50年以上になります。

これらの補修や更新について地方自治体の対応状況を見ると2018年度末時点で橋梁の長寿命化修繕計画を策定していない自治体が約2割もあり、また全国の村のうち半分以上は土木技術者が一人もいないという状況です。そのため社会資本整備の専門家からはもはやすべてを補修・更新して維持することは不可能であり、特に財政に余力のない地方においては「更新するインフラ」、「長寿命化するインフラ」、「廃止するインフラ」に分け、一部は放棄せざるを得ないという発言すら出ています。

いくつもの集落が消えていく、これが地方都市の10年後、20年後という近未来のリアルな姿として語られているのです。

新たな価値を生み出さなければ地方中小企業の未来はない

地方の中小企業が親企業に依存し続ける限り、新しい受注が生まれることはなく、先細りする一方です。このままでは地方経済もどんどん縮小の一途をたどるばかりで、地方の中小企業に未来はありません。

急速に進む少子化と高齢化、さらに都市部への人口流出という課題も抱え、消滅可能性都市に該当する地域も数多くあります。地方の中小企業が生き残る道は、たった一つ、地方を活性化させることにほかなりません。

例えば製造業であればものづくり技術を活かし、深刻さが増す地域課題を解決することで新たに地域の価値を生み出し、地域経済の成長と地域社会の発展に貢献する必要があります。それこそが地方の中小企業の使命であり存在意義なのです。ほかでは得られない地域ならではの資源を活かした独自の価値を生み出すことで、衰退を食い止めて反転させ、新たな発展の道を歩み始めなければなりません。

受け身体質を改善しないまま親企業に依存して生きている間に地域は魅力を失い、活力を失い、若者は地元で夢を描くことができず流出していきました。今こそもう一度私たちが地域の存在価値を見直し主体的になって地域経済を取り戻すべきです。

［第2章］

地方資源の活用こそが地方中小企業存続のカギ

地方創生は地方発でなければ実現できない

長く下請けに甘んじてきた地方の中小企業はいつか景気が回復して注文が再び増え業績が復活するというような他力本願な思考になりがちです。政府や地元の行政に対してとにかく景気をなんとかしてほしいと求める中小企業経営者の声をよく耳にしますが、下請けという楽な位置に自らをおいてきたことで困難に立ち向かう力や自分で未来を切り拓く創造性をなくしてしまっていると思わざるを得ません。

また中小企業だけでなく、本来なら生き残りをかけて地方創生に取り組むべき立場の地方の行政組織までもが、中央依存の他力本願に陥っているのではないかと思います。地方の中小企業が景気回復策や経営支援策を地域行政に求め、地域行政が国に支援を求めるという依存のスパイラルが、本来の地方創生の妨げになっているのです。

地域振興のためにこれまで地方の行政や中小企業が求めてきたのは大企業や大工場、大規模商業施設や大学・研究施設などの誘致であり、大規模イベントの開催、さらに国内各地からの観光客やインバウンドの獲得でした。そしてそれを成功させるために工業団地の開発や交通インフラの整備を進め、進出企業に対する助成金の支給、低利融資、事業税や固定資産税、不動産取得税の軽減といったさまざまな優遇策を用意してきました。

これらを通してほかの地方との誘致競争に勝ち、地元経済の活性化を実現しようとしてきたのです。

確かに誘致に成功すれば雇用が生まれ、地元商店街の売上拡大など消費の拡大効果が見込めます。工場進出が決まれば新工場建設に伴う地元の建設業、機械メーカーへの波及、製造や出荷に伴う地元の原材料供給メーカー、運送業への波及効果も期待できるとされました。

もちろん自治体にとっては各種の税収の拡大が見込め、歳入増による地方財政の好転、県民へのサービスの拡充も実現できるとされたのです。

しかし結果は目論見通りにはなりませんでした。

例えば私の会社のある宮崎でも郊外に大手ショッピングモールが建設されて一時はにぎわったものの、景気の波を受けて経営する本社の財政事情が悪化し、不採算店については撤退したという話をよく耳にします。しかしその頃にはすでに、地元の商店街はショッピングモール進出のあおりを受けて衰退の度を増しており、大型店が撤退したからといってその後をカバーする力はもうありません。結局一時のにぎわいがあっただけで地域は以前にも増して衰退してしまうのです。

大規模な進出を検討するような大手企業が戦っているのはグローバルな企業です。経営判断は常にその視点で下されるのであり、進出先の地元の事情が大きな要素として勘案されることはほとんどありません。より安価に効率的な生産ができるなら、極端にいえば大手企業はどこにでも行きます。だからこそグローバルな競争力を維持しているともいえ、そうした企業に地域の持続可能な発展のパートナーであることを求めるのはもともと無理があります。

大企業が来れば、税収が増え、住民が増え、下請けとして入って受注を得る会社や工場が生まれ、小売りや飲食、サービス業もにぎわいを増すかもしれませんが、労賃コストの安い場所を求めて工場が移転するかもしれません。さらにＩＴ化によって支店・支社を縮小する可能性もあります。
移転しないまでも経営が不調になれば、大手企業は少しでもコストを抑えようとします。地方都市では行政や地元の信用金庫などが主催してマッチングイベントなどが開かれ、大手企業はそれを活用してより安い価格で発注できる地域の下請け企業を検討し始めるのです。

なじみの下請け企業であってもそれはやめてくださいとはいえません。逆にマッチングイベントがにぎやかになるようにと考える主催者から参加を求められ、価格競争に巻き込まれていくことになるのです。いったん下請けに入ってしまえばこのように常に価格で競わされる状況を回避することができません。

そうした逃げ場のない状況に陥ったことによって、大企業・大工場の誘致が地域の持続可能な発展に寄与することは少ないという反省があったのか、今はＩＴ企業の誘致に取り組む自治体が増えました。業界や業種を問わずあらゆる組織でＤＸが推進され、ＩＴ化やデータ活用が進む一方、システムエンジニアやプログラマーは人手不足が顕著です。

また都市部に集まって仕事をする必要もないということから、ＩＴ関連企業も比較的人件費の安い地方都市への進出に意欲を示しています。進出企業の規模や地元の経済への波及効果も大規模工場に比べれば小さいとはいえ新たな雇用を生み、特に就業時間などについて自由度の高い職場を求める人たちの勤務先として有望であることから行政も誘致に積極的です。実際に地方都市で新たに１００人、２００人規模のオフィスを設けたり、数百人規模のコールセンターを開設したＩＴ企業もあります。

しかしＩＴは日進月歩で進化しています。プログラミングの世界ではこれまで必要とされていたコーディング作業を不要とするシステム開発手法も普及し始めるなど、ＩＴ分野の仕事が３年後、５年後にどうなっているかは誰にも予想がつきません。また人件費以外に地域固有の資源を必須とする業界でもないため、地域の発展にとって持続可能なパートナーであるとは考えにくい存在です。

地域の魅力を押し出そうとするご当地キャラ開発やコンテスト、Ｂ級グルメ対決などのイベントも一時の話題にはなりましたが地方経済に継続的に力強さをもたらすことはできていません。もともと地域発で盛り上がっていったものというよりは中央の発想で上からつくられたものであり、地域に根付く要素はもっていなかったと思います。
また国内観光客やインバウンドは急速に増えていただけに、地域活性化の促進剤としての期待はどの地域でも大きなものがありました。しかし２０２０年春以来の新型コロナウイルス感染症の拡大により、その効果はあまり望めなくなりました。ワクチン接種が進んで感染者の数が下火になるなかでインバウンドの回復が予想されていますが、ボーダーレスに人が行き交う現在の世界では新型コロナウイルスの変異やさらなる新型のウイルス感染症がいつ流行するか誰にも予測が付きません。インバウンドはそのたびに痩せ細るしかなく、これも地域再生の大きな役割を担い得るものではありません。

結局、外からカンフル剤として巨大な商業施設や大手企業を誘致しても、また観光客やインバウンドを呼び込んでも、地域にとって持続可能な発展の力にはならないのです。それは体質改善をしないまま薬の投与を行う一時の対症療法に過ぎません。薬に頼ってしまったがゆえに薬なしでいられないようになってしまい、むしろ以前より抵抗力を落としているという面もあります。

下請けで楽をして売上を計上している間に、地元企業は自分の力で市場を開拓する営業力や技術力、発想力を失っています。

大手企業の誘致は地域経済の生殺与奪の権利を大手企業に渡すことであり、大企業依存の経済構造と下請け慣れして創造力を失った地元企業だけを残すのです。

ところがこうした歴史が繰り返されているにもかかわらず、今なお地方行政の基本的なスタンスは外部から何かをもってくるというものになっています。「工業団地に大工場を」という旧来の施策こそ減少しましたが、本質的には変わらない他力依存・外部依存の活性化策が今も語られているのです。

地方の施策を国が一括して考える日本

全国の地方都市で同様のことが行われていますが、例えば宮崎県ではすでに10年以上前から隣県の大分県と共に「東九州メディカルバレー構想（東九州地域医療産業拠点構想）」というものが推進されています。

「東九州地域には、血液浄化、血管医療に関連する大手医療機器メーカーが集積している。血液や血管に関する医療分野は、幅広い医療の領域を支える基礎的な治療方法へと進化しており、今後、アジアをはじめ発展途上国でも市場の拡大が予測されるなど発展が期待される分野である」、そこで「いっそうの医療機器産業集積と地域経済への波及、さらにはこの産業集積を活かした地域の活性化と医療の分野でアジアに貢献する地域を目指す取り組みを推進する」というものです。

すでに国による地域活性化総合特区の指定も行われ、研究拠点づくりやネットワークづくり、人材育成などが進められています。大学に血液・血管先端医療学講座が設けられたり、関連企業を集めた医療機器産業研究会が組織され、新規参入を目指した医療現場見学会などが進められていると聞きます。

しかし取り組みからすでに10年を経過しながら地元企業の実際の参入やそれに伴う業績拡大の報告は聞かれません。もともと存在していた血液・血管関連の大手医療機器メーカーには一定の恩恵があったかもしれませんが、構想に謳われた地域経済への波及、地場産業の育成にはつながっていないのです。

今なお行政では地元企業に対して、参入意欲を醸成し、医療現場ニーズと企業シーズのマッチングなどを進めていかなければならない状況といえます。

血液・血管に関する先端医療分野は、確かにこれから市場が拡大していくものかもしれません。しかしそれは特段、宮崎県独自の地域資源を必要とし、それがベースになったから誕生したものではなく、たまたまその分野の大手企業が存在していたから話題になっているものです。地域の大手企業の傘の下で、大きな意味でその系列に入っていくことに地域の未来を託そうという外部依存がここにも表れています。


また、地域の製造業を応援するメニューの一つとして掲げられている「自動車部品に関する製造業の振興」についても、メディカルバレー構想同様に外部依存がその中核にあって、地域から生み出すという発想になっているとはいえません。

その理由としては「自動車産業は日本を代表する輸出産業であり、九州北部には大手自動車メーカーが展開している」「自動車製造に必要とされる部品は２～３万点といわれ、多くの製造業が必要となる」と説明されており、もしこれを検討するなら行政として参入を支援するとしているのです。たまたま自動車産業が九州の北部に集中しているからそれを利用して、その系列に入れてもらうことで地域の製造業を活性化しようとしているだけで、大多数の中小企業や地域経済に恩恵をもたらすものにはなっていません。

しかし今自動車産業は、20世紀に本格化して以来最大といわれる転換期を迎えています。電気自動車の登場により内燃機関を使った自動車がなくなろうとしているからです。電気自動車の部品数は、数え方にもよりますが数千点から1万点程度といわれ、生産ラインも現在のガソリンエンジン自動車とはまったく異なります。少なくとも10年、20年先を見越した地域の製造業の未来を考えるとき、自動車産業にどういう展望を見ることができるのか、もっと厳密な検討が必要です。そもそも宮崎県にとって自動車産業の存在価値とは何か――そういう検討を経ることなく九州北部の大手自動車メーカーに連なればよいとするのは、従来の大企業・大工場誘致の発想と何も変わっていないといわざるを得ません。

もう一つが今宮崎県で話題になっている地域振興構想です。それは航空機産業に参入しようとするもので国が中心となった基礎調査が進んでいます。

しかしこれも自動車産業同様に、なんとなく期待できそうだからという理由で始まった検討に過ぎません。

「九州地域における航空機関連市場動向及び参入可能性調査」（経済産業省九州経済産業局）によれば「ジェット旅客機の需要は、世界の経済成長による輸送需要の増加が見込まれることから、航空機市場は今後の20年間で約1・8倍に増加すると見込まれている」「九州地域は国内有数の半導体生産拠点であると同時に自動車生産拠点でもあり、半導体関連産業の集積が進み、自動車製造関連の主要サプライヤーの九州進出や、地場企業の自動車関連業界への進出も相次ぎ、九州地域の半導体・自動車関連産業は基幹産業に成長している」といわれており、だから航空機産業に参入するのがよいのではないかというのです。

そして「航空機産業において九州地域が国際競争力をもった先進的生産拠点となるためには半導体産業や自動車産業等で培った高い技術力や高い生産・品質管理力を有する企業の技術を航空機分野に展開させ、国内外の需要を取り込むことが重要であり、そのためには、九州地場企業の参入・集積の促進を図り、地域として航空機産業の参入に向けた基盤を整えることが必要である」と結論づけ、「機体エンジン分野と装備品分野が有望であり、川下企業（航空機生産の元請け企業）が期待する一貫受注体制を九州地域の地場企業で築いていく方向性が考えられる」としています。

もともと国が主導する調査のため、国の視点で語られているのは当たり前ですが、今後これを県が受け止めて地域振興策としてまとめ、国から予算をもらって県内の企業を誘導する形になるわけです。

結局、地方行政は外部の力に頼り、その力を借りることばかり考えているといわざるを得ません。下請け企業が受け身体質を身につけてしまったのと同じように行政も外部依存体質に染まっているのです。この延長上には本当に地域活性化をもたらす施策は出てこないと思われます。結局、地方行政は外部の力を重視するために地元企業の育成や新たな事業発掘に力を注げてはいないと考えます。

地域を見渡し、その地域で大きく事業展開している有望な大企業を見つけ、それを起点に地域活性化のアイデアを検討することが日本の地方行政の仕事です。もちろん地方行政を担う人のなかには地元の現状に危機感をもち、なんとか打開しようと地元への愛情と熱意をもって真剣に取り組んでいる人がたくさんいて、私もそういう人を何人も知っています。もっと地元の実情や課題に即して、地元発で地元を豊かにするプランを考えるべきだと思っている人はいるのです。しかし地方創生を考える大きな仕組みが、そうした情熱や意見を汲み上げるものになっていません。

今、政府は「まち・ひと・しごと創生総合戦略」を打ち出しています。

従来の規制緩和のための特区の制定やそれを使った大手企業、大工場の誘致による地域の活性化の施策は、日本経済が低成長を続け、いよいよ総人口減少時代に入るなかで見直しを余儀なくされてきました。

消滅可能性都市が取りざたされるほど地方の状況が厳しくなるなか、それをなんとか打開しようと改めてまとめられたのが、安倍内閣時代の２０１４年に出された地方創生政策「まち・ひと・しごと創生総合戦略」です。

「東京圏への一極集中の是正」「活力ある地域社会の実現」という二つの大目標が掲げられました。以来さまざまな施策が打ち出され、現在は第1期5カ年を終了して第2期に入っています。しかしすでに8年を経過しているにもかかわらず、いずれも確たる成果を上げているとはいえません。

東京圏（埼玉県、千葉県、東京都、神奈川県）の人口はむしろ増加し、今や日本の総人口の約3割が集中しています。また活力ある地域社会の実現の要とされる、地方にしごとをつくり、安心して働けるようにするという施策についても、２０２０年の目標であった若者の雇用30万人増に対して、９割程度の増加にとどまったようです。（内閣府「まち・ひと・しごと創生長期ビジョン及び第2期『まち・ひと・しごと創生総合戦略』」）

「地方活性化こそ日本を元気にする源」と言われ続けて久しく、１９８９年に全国３３００余りの市町村に一律1億円の現金を配ったふるさと創生事業から数えれば30年を超える年月が経っているにもかかわらず、なぜ一向に解決していないのか、現在の地方創生事業もそうですがそもそも中央政府が地方をひと括りにして一律の戦略を決定し、それを施策にまとめて予算を付け各地方に下ろすという仕組みそのものに限界があるのではないかと思います。

地域の実情は地域によって異なります。人口減少や若者の流出、地元中小企業の低迷は共通の現象でもその程度は大きく違っており、地理的な特徴、外部環境、直面している具体的な課題、保有しているさまざまな資源、将来への展望などは地域によってさまざまです。それは地域をいちばんよく知っている地元の人間でなければ分かりません。

しかし現在は地方創生の基本戦略の策定や政策立案を国が行い、各自治体はそれをひな形にした地方版をつくって予算をもらうことが仕事になっています。移住促進、新たな雇用の創出、観光資源の発掘、インバウンドの誘致、地域に愛着をもってもらうための教育といった地方創生の大項目は、国が有識者会議などを組織して検討・作成し予算を配分します。各自治体は、それを受けて予算を取るために国の施策に沿った形で具体策を決めるのです。

確かに今、地方行政にはお金がありません。標準的な行政を行うのに必要となる財源額のうち、どれほどを自主的な財源でまかなえるかを示した財政力指数は、全国の都道府県平均で０・５２３にとどまっています。つまり毎年の予算の半分近くを地方交付税や国庫支出金などの国支給の財源に頼っているということです。これが1を超えているのは東京都のみでほかの道府県はすべて1以下ですが、宮崎県は０・３５７と低く全国38位です（２０２1年決算、総務省集計）。支出の内訳を見ても小中高などの教育費、社会福祉や児童福祉、生活保護などの民生費、道路や橋梁、河川管理などの土木費、さらに公債費などですでに半分以上を超えており、最小限の行政を賄うだけで精一杯という現状が見て取れます。

　このうえ地域活性化への積極的な財源確保は難しく、これについては国の補助金などを獲得して充てるしかないという現状があるのだと思います。それが政府の施策を受けてそのプログラムを踏襲し、予算を獲得するという方向へ地方行政をリードすることにつながっています。こうしたことの結果、各地方の取り組みはどこも似たり寄ったりということになってしまいました。

　移住支援策はどの地方にも同じようなものがあります。

観光資源開発としては地方の特産物を使ったレシピの募集や新たな観光ルートの開発、道の駅の新設やリニューアル、さらにはご当地キャラやB級グルメ開発といったことがどの地方でも行われています。

どこでも同じようなことが取り組まれれば、同じ土俵で地方同士が競い合うことになります。そのため人気や話題性を競ったり、観光客の奪い合いをすることになってしまっているのです。

地域の中小企業が大手企業に依存しているように地方創生についても各自治体が政府の地方創生戦略に依存し、それをひな形に計画を立てるようになりました。そのため地域ならではの創生戦略を生み出す力を失っており、ここにも受け身体質があるといえます。

しかし地方創生とは地域のことをいちばんよく知っている地域の人々が、自ら考え組み立てて実施すべきものです。地域の中小企業や住民はそこで生きるものだからこそ強い問題意識となんとしても活性化していきたいという意欲をもっています。

中央で考えられた全国一律の施策にその問題意識や熱意があるとは思えません。それはもともと無理なことで、その画一的な施策を具体化しても地域の活性化は実現しません。

地域経済について欧米で学んだこと

地方の中小企業はお金も設備も人も情報も決して潤沢な状況ではありません。経営資源は明らかに不足していますが、そこに生きるものだからこその強い問題意識と地域を豊かにしていきたいという情熱があります。経営資源の不足は企業の枠を超えて横のつながりをもてば解決できることも多く、地域の狭さ、お互いの行動範囲の近さはむしろ横のつながりをつくるには好条件だといえます。

私は地元の中小企業家同友会に積極的に参加し、宮崎ならではの価値について話し合う機会をつくりました。また、岩手同友会エネルギーシフト研究会に参加しているほか、何度か欧州の中小企業視察もしました。

ドイツでつくづくすばらしいと感じたのは中小企業経営者や市民がきちんと地域の課題を自らの問題としてとらえて行動するという市民力でした。地域経済のために安易にほかから何かをもってくるのではなく、確かな技術の裏付けをもって自分たちで何かを創り出すという自立した考え方や姿勢が根付いていることを目の当たりにしたのです。
地域経済を継続的にしっかりと回していくことこそが国の発展につながるという意識や姿勢には学ぶべきところがあります。日本とは地域共同体の形成の歴史が違い、もともと地方としての自立意識が強いのかもしれませんが、地域の自立的な運営を住民の誰もが当然のこととして受け止める意識の高さに驚きました。

彼らは事業規模の大小や法人か個人かの区別などにはこだわらず一人ひとりが自立した個人として、地域を活性化させるためにどうするかを考えます。地域ならではのエネルギーやさまざまな資源を最大限有効に使って自分たちでつくり出すという姿勢を貫き、地域企業の振興や仕事の創出に取り組んでいました。教育の面でも地域企業で誇りをもって担う人材を育て、有用な人材が当たり前に地元で働く仕組みをつくっていました。林業を地場産業としているドイツのある都市では、森林管理や伐採・製材、木材資源を活かした建築や家具製造などを担う人材を地域で育てる仕組みをつくり、一次産業、二次産業、さらに三次産業という枠組みを超えて連携していました。まず自分たちが自立して地域の資源を活用し、維持・拡大しながら自分たちの住む場所を豊かにしていくことを住民が先頭に立って進めていました。私はドイツをはじめ欧米の都市を見ながら、積極的にその地域の特色や多様性を活用して独自の道を編み出し、歩んでいくことのなかにこそ地方創生の道があると思いました。地域の中小企業が大手企業の注文を待つのではなく、自らの力で必要とされるものをつくり出すべきであるように、地方都市も国の施策を待つのではなく、自らの力でその地域独自の創生策を考えていかなければならないと思うのです。

また、米国シアトルを訪問した際、私が目の当たりにしたのは地元の若い人たちが農業を選んで有機野菜を作り、週末は至るところでファーマーズマーケットを開いて地元の人たちに販売している姿でした。ある若い人に話を聞いてみたところ、直接お客と話せば有機野菜のニーズが分かるので次は何をつくろうかとワクワクするとのことでした。日本でも米国でも都心部への若者の流出を食い止めたいと願う地方が多いなか、積極的に地元でコミュニケーションを取り、仕事を楽しんでいる彼らを見て地域循環型経営のいいモデルだと思いました。

未来を拓くためにどのような資源が使えるのかを考えるなら、地域が抱える問題を顕在化し、地域ごとに異なる課題を一つひとつ明確にしていく必要があります。その地域独自の地域力を見つけ出すことが必要なのです。もちろんそれは地元にいる大手企業をピックアップすることではありません。

各地域には独自の資源があり気象や地形もその一つで、原材料やエネルギー源としての天然資源もあります。またこれまで資源として利用されていなかったもの、これまでは原材料のまま出荷していたが、加工すれば新たな価値をもつというものもあるはずです。あるいは従来は資源としてまったく意識していなかったけれど、視点を変えれば資源になるというものもあるかもしれません。

人も資源であり特有の歴史や文化も資源になります。改めて足下を見つめ、時には子どもの、あるいは高齢者の、また時には初めてその土地を訪れた外国人のような目で地元を棚卸しすることでその地域ならではの地域力が浮かび上がってくると思います。地方創生に活用すべきはその地域力です。

上杉鷹山が行った地域創生

地方創生が中小企業の生き残りの唯一の道だという私の考えの根底には、米沢藩の第9代藩主・上杉鷹山の教えがあります。「なせば成る　なさねば成らぬ何事も　成らぬは人のなさぬなりけり」という名言で知られた人です。実は上杉鷹山は1751年に日向高鍋藩の藩主、秋月種美の次男として生まれ、もともとは宮崎の人なのです。その後鷹山は10歳のときに米沢藩の第8代藩主、上杉重定の娘の婿養子になり、17歳で家督を継いで新藩主となります。当時の米沢藩は莫大な借財があり、藩の財政は火の車で鷹山に課せられたのはその立て直しでした。

鷹山は財政再建のために独自に産業を興さなければならないと思い、改めて藩のもつ資源を洗い出し、まず農業開発に取り組みました。自らが鍬を持ち、武士にも刀を工具や農具に持ち替えさせて堤防改修や耕作に動員し領民が力を合わせて農業振興に力を入れる心構えをつくっていきました。

藩主が自ら泥まみれになって道具を使うなど当時では考えられないことです。鷹山はあえて現場に降り立ちその先頭に立つ姿を見せることで、一人ひとりが自助の精神を発揮し、自分の問題として藩の窮状を受け止めて救うのだと身をもって示し、それが人々の心を動かしました。

その後も大規模な農業用水の開設工事や導水トンネル工事も行い、田畑の開墾・整備を進めています。また米沢藩の特産品であった青苧（あおそ）を使い、武家の婦子女に機織りを習得させて麻織物を生産しました。さらに桑の栽培と養蚕を奨励して絹織物をつくり米沢織として全国に普及させていきます。そのほかにも製塩、製紙、製陶などの産業を興しています。

地域のもつ資源を一つひとつ洗い直し、それらを組み合わせて独自の産業を興し、破綻に瀕していた財政を立て直していった手腕は非常に優れたものだと思います。

さらに鷹山は米沢藩の今後１００年の計を見通すためには優秀な人材を育てることが欠かせないと考え学問の場・興譲館を創設しています。地域力を高めて地方創生に挑もうとする私たちが改めて振り返るべき人物の一人であるということは明らかです。

本来地域には地域独自の資源があるのです。

しかし私たちはそれを高度経済成長期に中央に投げ出してしまい、地方が本来やるべきことを忘れてしまいました。外から何かをもってこなくても地域が地域の力でやれることはたくさんあるはずです。その当たり前の原点に立ち返らなければならないと思います。

循環させながら、さらに力を高めていく

地域資源を見直し、地域力を結集してさまざまな仕事を生み出していこうとするとき、合わせて考えなければならないのが地域循環です。

新たな地域産業は地域内の循環サイクルを備えることで、本来の価値を発揮すると思うのです。

従来いわれている地産地消と同じ意味ではありません。地域で産出したものを地域で消費する地産地消の考え方は以前からよく知られていますが、主に輸送などで発生するCO_2の削減策として、あるいは輸送コストが非常に低くなることによる低価格がメリッ

トとして語られてきたところがあるように思います。

しかし、これから地域再生のために考えなければならないのは、より広い意味で地域経済や地域の幸せの外部依存度を下げ、地域で必要なものを地域で生み出す努力をし、地産地消の比率を上げていくことです。


例えば地産地消が実現していると考えられている商品でも生産に不可欠な電気エネルギーや輸送エネルギーとして欠かせないガソリン、配送事業者や梱包に使う資材などが域外から調達され、その費用が域外に支払われているということが多くあります。これでは表面上は地産地消でも、本来の意味での地域循環型の経済になりません。

地域が必要とするものを地域がもつ力を使って地域内で生産・販売することで地域内の所得を増やし、それを地域内に再投資し循環させて産業の成長と雇用の拡大を実現していく、これによって地域力が不断に高まる正のスパイラルが生まれます。

こうした地域循環型の経済をつくり上げること、そして地方企業が自らそのサイクルのなかに存在場所を見いだし、その一翼を担うという地域循環型経営を進めていくことこそ地域を強くしていく道だと思います。

もちろん地域循環型というのは自分の地域だけが安泰であればいいという考え方ではありません。地域間で限られたマーケットを奪い合うゼロサムゲームをして、そこで勝つということではないのです。

地域の資源を活かし、地域の課題を解決する地域生まれのサービスや商品はリアルなニーズに即したものだけにほかの地域や市場でも魅力を感じてもらえる普遍的な力を備えています。地域で育てられ鍛えられた独自のサービスや商品は高い競争力をもち地域外への輸出商品になり、国内だけでなく世界市場を相手にできる可能性があります。

各地域がそれぞれにたくましい循環型経済のなかから魅力的なサービスや商品を生み出し、県外・域外、さらには海外に販売して外貨を稼いで地域経済をさらに強めていけばいいのです。

何のためにつくるのか――企業理念を改めて確認

地域で自立した企業に必要なのは営業・設計両面の組織づくりであると同時に、会社全体のマインドが一つの方向を向いていることが重要です。

経営の状況をできるだけ見える化して全員で課題に取り組み解決していくというマインドを育て、従業員が単なる駒に甘んじるのではなく、一人ひとりが主体的に会社を前進させるという意識をもって協力し合いながら事業を生み出す組織にしていくべきだからです。ただ下請けを脱しよう、地域のことを考えようといってもその意味の理解と実行する仕組みがなければ、実際に取り組むことはできません。

父から会社を引き継いだとき、現状の経理をオープンにして細かい数字まで示し、会社は今こういう現状にある、こういうところを改善していく必要がある、そのための方針・戦略・計画をみんなでつくっていこうと呼びかけました。経営状況を把握して社員全員で問題意識を共有することは組織力の強化につながるものです。

また従業員一人ひとりと面談する機会をつくって私の思いを伝えると同時に日頃考えていることなどを聞き、人事管理や原価管理、品質管理のシステムなどを従業員と一緒に考えながら新たにつくっていきました。

組織体制の見直しにも着手しました。どの中小企業にもありがちな光景だと思いますが、私が入社した当初2人の営業担当の管理者がいて一課と二課に分かれ、それぞれが仕事を抱え込んで製造に至るまで自分のグループに指示を出していました。つまり2人のボスの下にそれぞれの派閥が出来上がっている状態でした。

そこで私は2人のボスの下に縦割りになった組織を改め、営業と製造を切り離して独立させ、営業は営業、製造は製造で、それぞれが自分の役割を考えながら仕事に取り組めるようにしました。実際に工場内には一課と二課を隔てる物理的な壁があったのですが、これも取り払いました。

さらに従来は外注していた設計を内製化するため、新たに設計部を設けることにしました。下請けとして仕事が来るのを待つのではなく元請けとして獲得する注文を増やしていかなければなりません。そのためには設計力が欠かせないのです。キャリア採用で2名を獲得しました。

一人はUターン人材、もう一人はIターン人材で2人とも宮崎への思いが強く、その点でもいい人に来てもらえたと感じました。確かな技術力はすでにあるのでそこに設計の力が加われば、顧客ニーズを調査してそれに合う新たな機械の提案ができます。社内に設計部隊が存在すれば、営業担当者のマインドも変わってくるものです。「弊社で設計してみるから提案させてほしい」というアプローチができるからです。

設計力をもたない営業はただの御用聞きしかできません。決まったものをいくらでつくるかという見積もりだけが仕事になってしまいます。しかし社内で設計ができるというバックボーンがあれば、顧客との話も幅の広いものになります。多種多様なものがつくれるならいろいろな相談に乗ることもでき、営業担当者としても仕事が面白くなっていくはずです。

さらに自社独自の製品を企画・製作・販売していく力をもつことが下請けに甘んじない組織をつくることにつながると考え、設計のさらに上流工程を担う部署として企画開発室もつくりました。具体的な設計に入る前のところでオリジナルの産業機械の開発を計画する部署です。

設計については当初の２ＤＣＡＤから３ＤＣＡＤへの変換を進めました。２ＤＣＡＤ

は純粋に設計作業をサポートするツールであり、機械製造のための設計アイデアや仕様を図面化するものです。３ＤＣＡＤは設計ツールとしてさらに能力が高いというだけでなく、顧客に完成形をイメージしてもらい、早い段階から機械・設備の課題について協議できる情報共有ツールになる可能性があります。

情報共有が設計業務全体の効率化につながり、また新たなアイデアや設計のヒントをもたらすものにもなるのです。

従来の設計手法から大きく転換することになるので設計者への負担はありますが、設計力強化の一環として取り組む価値は大きいと考えました。

また私は毎月一日に全社員に向けて手紙を書くことにしました。

２００１年の社長就任後に開いた初めての経営方針発表大会直後に始めたもので、20年以上経った現在でも毎月1回というペースを守って継続しています。その第1回目の社員への手紙には実践目標として、お互いに一歩踏み込んで関わりあうこと・本音で意見を口にすること・悪いことは注意し合い良いことは進んでアドバイスし合うこと・会社生活だけでなく自分の人生を豊かにするためにいろんなことに挑戦することを記しました。

経営方針発表大会は全社員が参加して、取り巻く環境の変化や会社が磨いていくべき強みや部門毎の方針などについて話し合い、さらに個人にまで落とし込んだ行動計画をつくっていきました。こうすることで一人ひとりの活動が会社全体につながっていること、さらには顧客との関係にまでつながっていることへの理解を促していったのです。

少しずつですがどうすれば品質の高いものを効率的につくれるのか、そしてつくったものが顧客、引いては社会にどういう価値を提供できるのかということを考えられるようになっていきました。このプロセスは受け身体質からの脱却に不可欠なものであり、自立した中小企業と従業員を守り育てていくことにつながると考えたのです。

これまでは顧客の期待に応えるために求められたものをできるだけ早く、そして品質を落とさず、かつ安く提供することを心掛けてきました。

今後も維持していくのは当然ですが、これからはものづくりの技を長年にわたって磨いてきた会社として地元の顧客や地域全体の抱える課題の解決のためにできることは何かということを考えていかなければならないのです。私たちの事業活動が地域の役に立ち、地域とともに私たちも発展していくということを目指さなければならないという意識が社内に少しずつ芽生えていきました。

私たちの会社に仕事を発注してくれるのは大手エンジニアリングメーカーであることが多いのですが、実際につくり上げた機械を据え付ける先は地元の食肉工場や醸造会社です。注文をこなす、集金するという意味では私たちの顧客はエンジニアリングメーカーであっても私たちの製品の使い手は地元の工場であり、その意味で彼らも大切な顧客です。来た注文をこなすという受け身の姿勢を脱するにつれて、従業員は実際の使い手である工場を自分たちの顧客として意識し、さらにその先にいる工場で働くエンドユーザーのことを考えるようになりました。

社員で知恵をもち寄って主体的に考えるようになると自分たちで何ができるかを考え、例えばこういう機械があれば工場での生産効率が上がるのではないか、こんな設備であったらもっと使いやすいのではないか、さらにそれがエンドユーザーにこういうメリットを提供できるのではないかといったことも想像できるようになっていくのです。

これは地域創生の力になる企業であるために備えなければならない重要な点でした。

［第3章］

地域循環型経営の第一歩
地方中小企業のネットワークを構築する

1社では地域循環型の経済は実現できない

いつまでも親企業の動向に左右され、自らの手で進路を切り拓けない脆弱な存在であり続ければ、中小企業はいずれ存続の危機に瀕している地方都市と共に消えてしまうことになります。その危うい未来を希望のあるものに変えるためには、親企業を見るのではなく自らの地域が抱える課題を直視し、地域循環型の経済を確立させ、地域の価値を高めていかなければなりません。

地域循環型経済の確立とそのなかで役割を果たす地域循環型経営の実現のためには、まず地域におけるつながりをつくることがポイントです。「親企業―下請け」、「政府―地方行政―地域企業」という縦の関係が主流だったこれまでの地域社会に地域という横串を通し、すべてのステークホルダーが横につながることがまず地域循環型経済の第一歩です。そのためには地域の中小企業がハブとなってさまざまなつながりを創造していかなければなりません。

地域のステークホルダーが力を合わせて地域の価値を高め、持続可能な成長の道筋を地域に生み出すことを目指すべきです。

このとき中小企業が目指すべきゴールは自社の利益拡大ではなく、地域の課題解決による地域の価値向上であり、そのためにどういう価値を地域に提供するのかがメインテーマになります。まず自社の売上ありき、自社のアセット（経営資源）ありきというアプローチでなく、まず地域ありきで考えていかなければならないのです。

地域循環型経済を確立するために必要なのは、地域が共同で取り組むオープンイノベーションです。従来オープンイノベーションというと特定の企業が主導し、その企業が新たな商品やサービスの開発に際して開発効率を高めるために採用する手法でした。開発目標は決められ、その下に関連するアセットをもった企業や大学などの研究機関が集まって共同で進めるものです。オープンといいながら実際には参集した企業や研究機関だけのものであり、一企業の利益に資するための企業と企業、企業と研究機関の技術情報のやりとりであることが多かったのです。

地域が取り組むオープンイノベーションはそうした従来のものとは大きく異なり、目的は商品やサービスの開発効率の向上ではなく地域課題の解決です。

そのために必要なのは単なる技術や知財（モノ）を超えた新たな関係性（コト）であり新たな物語です。参加者も特定の企業や研究機関に限定されるのではなく、地域の企業や大学・研究機関、さまざまな団体、市民、行政すべてであり誰に対しても開かれたものです。そして全体を主導するのは特定の企業ではなく、所属組織を超えた地域住民です。

横のつながりで共に考える

日本の下請け構造は縦割りですが、地域が抱える問題解決に取り組むには横のつながりを展開し、地域の手でどう解決し地域の価値を高めていくのか、その取り組みを通して循環型の力強い地域経済をいかにつくっていくのかを考える必要があります。

そのためには縦のつながりだけでは各業界の課題は見えても地域が全体として抱える課題は見えてきません。地域行政や企業、大学・研究機関などが横につながるべきなのです。建設、製造、流通小売、サービス業などその個々の検討からは、今地域の何が問題でどう解決していけばいいのかという分析も方針も出てこないのです。どの地域にも県や地域単位の企業系経営者の集まりがあります。

経営者であればまずそれを活用することです。

私もまずはほかの経営者との情報交換の場をもつために、県内の中小企業経営者約４００名が集う宮崎県中小企業家同友会に入会しました。１９９９年に専務取締役として父親の会社に入ったその年です。

もともと私が地元の宮崎にいたのは高校を卒業するまでで、大学は隣りの熊本県、その後の就職先は山口県にある大手総合化学メーカーでした。会社ではプラント建設の仕事に携わり、入社3年目にエジプトで石灰石焼成プラントの建設に派遣され、3年間、現地に滞在しながら業務に就きました。

その後もベトナムでの石炭専焼のセメントプラントの建設に1年、インドネシアでのプラント建設に半年間携わるなど多くの海外事業に従事しました。父から会社を継げという話が出たことは一度もなかったので私は自分が選んだ会社でプラント建設の仕事を続けていくつもりでしたが、会社勤めが13年目に入った頃、父から突然宮崎に戻って会社を継いでほしいという話が出たのです。サラリーマンからの転身で、しかもいきなり専務取締役としてのスタートでした。

経営者としての経験も経営哲学も私には何もありません。しかも20年近く宮崎を離れていたので地元のことはよく分かりません。私は一から経営を学び、地元で知己をつくるためにも中小企業家同友会の活動には積極的に関わることにしました。さまざまなテーマで研修会や意見交換が活発に行われており、また他県の同友会との交流も盛んでした。毎年行われる全国大会では日頃交流が難しい遠方の企業経営者との出会いもありました。

会社経営について経験も知識もなかった私にとって貴重な学びの場であり、地方の中小企業経営者がどんな課題に直面し、どう解決しようとしているのか、共通の問題について大いに語り合うことができました。

新しい出会いやつながりが生まれるとその連携のなかからそれまでまったく考えていなかったような課題に気づいたり新しいアイデアが生まれたりします。一人の世界は視野が狭く発想も偏りがちです。しかも情報は一人で抱えていても意味がありません。発信することで発信した人間には新たな情報が入ってきます。発信する機会が多くてその量が多いほど、それに比例して得られる情報も多くなるということを私は身をもって知りました。

中小企業家同友会そのものは経営者の集まりですが、講演会や勉強会に招聘した講師や視察、見学先、さらには同友会メンバーからの個人的な紹介といったさまざまなルートで地元の多くの人と出会うことができる点もこうした経済団体活動に参加することの大きなメリットです。中小企業家同友会への入会とその活動への参加は、経営者としてのさまざまな学びを得る場所となっただけでなく、地域の抱える課題を知り地域のなかに人脈を広げていく意味で非常に有効でした。地域のなかに入っていくきっかけづくりとしてぜひ検討すべきものだと思います。同友会だけでなく業界団体の集まりなどにも私は積極的に参加するようにしたので人脈は大きく広がっていきました。

もともと地方中小企業にはいわゆるヒト・モノ・カネという経営資源は乏しく、それらは社外に求めざるを得ません。そのとき地方は社会の規模が小さいので企業同士だけでなく、研究機関や金融機関といった異分野の組織や人間同士が出会う機会に恵まれています。自分から踏みこんで行けば行くだけ、人脈は大きく広がっていくというのが地方社会の良さです。

最近では一流企業に長く勤め、専門性の高いスキルを身につけた人が定年退職して出身地である地方に戻ってくるということも増えています。専門技術だけでなく新規事業開発やプロジェクトのマネジメントに長けた人、財務や税務の専門家だった人もいます。トップ企業で定年まで活躍していた人だけに非常に有能でかつ最新の情報をもった人たちです。

こうした人たちは社会人生活の大半を東京などの大都市圏で送り、地元に戻ったのは数十年ぶりということも少なくありません。それだけに久々に見る地元の変わりように驚き、地元を元気にするために少しでも力になりたいと考えることが多いようです。

既存の組織や横のつながりを活用してどんどん地域に入っていくことが地域循環型経営の最初の一歩です。しかも地方中小企業の経営者は人の輪の広がりの中心を担うことができます。そこで実感したのは民間の中小企業は人や団体をつなぐ役割を果たしやすいということです。

行政は公金で動いていますから常に公平性や市民に対する説明責任を負っています。組織は基本的に縦割りでしかも細分化されています。しかし民間企業という立場なら制約を受けることは少なくてフットワークも軽く、いろいろな組織を結びつける媒介になることができます。

さらに新たな組織の立ち上げやすさも、活動の展開や反省、修正が速いという点も中小企業経営者の得意とするところです。中小企業こそ地域再生を願う地元の人々のハブとなって活躍することができる存在です。

地域における中小企業としての役割

地方の中小企業は業務を自社だけで完結させていることも多いため、一見地域に根づいているようでも実は本人たちには地域の一員だという自覚が足りていないこともしばしばです。特に下請け企業としてＢtoＢの業態で機械部品などを製造している場合、地域住民としての自覚はなかなか生まれません。

　そもそも下請けとして受注をこなすという受け身の体質になっていると地域企業としての自覚がなくなってしまいます。注文をこなして稼げばいいのならどこに工場があっても同じことだからです。視野に入るのは注文をくれる大手企業と製品を納める地元の工場だけで、それ以外のことには関心が向きません。

　町内のお祭りに寄付をしたり、さまざまな会合に顔を出して交流することで地域とのつながりをつくっている地域密着型の中小企業もありますが、イベント時だけでなくもっと日常的に会社を地域に開くべきです。地域循環型経済を確立するためには地域の企業が地域の構成員として受け入れられていなければならないからです。

　業態がBtoBであるかどうか、直接事業上の接点があるかどうかにかかわらず、あの会社は地域企業としてどんなことをやっているのか、何が得意なのかといった認知を得て、地域経済の一員として受け入れてもらわなければなりません。

　その前提があれば地元企業から機械の設計や製造を頼みたいとかメンテナンスをしてほしいとか、新しい生産ラインづくりの相談にのってほしいという声も掛かりやすくなります。さらにこれから地元を背負っていく若い人たちに対して地元で働くことの楽しさや社会人としてどういうことを考え、何を生きがいとして働いていけばいいのか、ものづくりの魅力はどこにあるのかといった社会教育、産業教育を行っていくことも地元企業としての役割だと思いました。

それは将来自社で働いてもらうためにという採用活動ではありません。個々の会社としての利益ではなく若い人が地元でやりがいを感じながら働き、地元を支える一員になってほしいと考えるからです。

以前は企業が小中高生や大学生などに過度なアプローチをすることを良くないとする風潮がありました。学問は中立的でなければならない、民間企業は利益を上げるための集団であり教育になじまないといった感覚があったからです。

しかし企業は社会を構成する重要な存在であり、多くの人は企業に長く所属して人生を送ります。働くとは何か、ものづくりとは何か、人と力を合わせるとはどういうことか、人に学び教えるとはどういうことか、高め合うにはどういう心構えが必要か……こういったことは社会教育、産業教育のなかでしか学べないのです。

単に社会にはどんな仕事があるのかという実用知識を提供するのではありません。働くことについて広く深く考えるきっかけにしてほしいと思いました。仮に学生であったとしても地域を支えるメンバーの一人として責任ある考え方や関わり方ができるようになり、地域循環型の経済のなかで重要な役割を果たせるようになると思います。

こうしたことは社会人になってから学ぼうとしても遅いのです。実は私の会社に来た新入社員を見ていてもこういうことを入社前に考える機会をもっていなかったのだと分かることがあります。自分の目標をしっかりもっていなかったり、ものづくりの魅力を知らないままであったりして、わずかな失敗や怒られたといったことを必要以上に気にして辞めてしまったりします。

子どもたちが小さな頃から地域のことを考えたり、働くことの意味や将来の自分の役割や生き方について考える機会を提供するのも地元企業の社会的な責任です。

“漏れバケツ”では地域力は上がらない

地域経済について考えるとき、いつも私の頭に浮かぶたとえ話があります。それは「漏れバケツ理論」です。

バケツにためていくものは地域に入ってくるお金です。県民や観光客が地域で使ったお金、政府からの補助金や交付金、企業誘致による税収もここに入ってきます。

地域の生産物によって得た所得をバケツに入れてもそこに穴が開いていてたくさん漏れていくのでは地域経済は豊かになりません。特に大きなウェイトを占めるのがエネルギー代金です。これを地域内でまかなうのは技術的に難しく、電力料金などとして地域外に支払われます。

同じように地域外の建設業者やさまざまな加工・製造業者への支払い、住民が外から購入するモノやサービスも域外に所得が漏れ出す要因です。こうした漏れの原因をつかみ穴を塞ぐことがバケツに水をためる、つまり地域内の所得を増やし拡大・再生産していくことにつながるのです。

バケツに入る水が少ないことを問題にするのではなくそもそも水が出ていってしまうことを問うべきなのです。しかしこれまで私たちは入るものの少なさを嘆いたり、それを少しでも増やそうと補助金などの増額について声を上げることはありましたが、地域内と地域外の割合を意識したり、地域外にどれだけ出ていってしまっているのかを意識することは少なかったのではないかと思います。地域経済を取り戻すためにはいったん地域に入ったお金を滞留・循環させることで地域の所得を上げていかなければなりません。域外のものを安く購入することを考える前に、域内で付加価値をつける発想が必要です。

また「国際収支」ならぬ「県際収支」という言葉があります。県内で生産されたものを県外へ販売した金額を「移輸出額」、逆に県外で生産されたものを県内で消費した金額を「移輸入額」と呼んでその収支を見たものです。公表されている最新の数字では宮崎県の移輸出額は1兆7883億円、移輸入額が2兆1411億円で差し引き3528億円の輸入超過になっています。これだけの金額が県外に出て行ってしまったということです（「宮崎県県民経済計算」２０１８年）。県の産業構造が地域循環型であればお金は県内に残って消費や再投資に回り、地域力を高めることにつながると思います。

行政が掲げる地域振興策は常に農業・林業・工業・サービス業においてというように縦割りになっています。しかし求められているのは個々の産業をどうするかではなく地域そのものの創生です。

農業や林業を工業が支援するということも当然あるはずです。

工業だけの振興を縦割りで考えるから自動車産業に連なるのはどうか、航空機産業に参入するのはどうかといった策が出てきてしまうのです。地域力を高めるために工業に何ができるかと考えれば、例えば農業や林業の現場で労働を効率化したり、生産性を向上させたりする機械設備の開発・販売ということが出てきてもいいはずです。問われているのは農業や工業をどうするかではなく、地域をどうするかなのです。

この縦割りの元をたどれば国の体制に行き着きます。農業の担当部局が日本の農業をどうするかと検討して指針を示すと、それが各地方に下りてきます。同様に林業や工業や流通小売業についても、それぞれの担当部局が指針を明らかにして、それが地方に伝えられます。

そこには地域という横串が貫かれることがありません。地域全体をどうするかを考えなければならないのに、地域の農業や工業をどうするかという問題に横滑りしてしまうのです。それによって発揮されるべき地域の総合力が発揮されずに終わってしまうのです。

地域で手に入るものを地域で加工し、地域に必要なものを地域で生み出し、循環させるためには技術革新や新しい農商工の連携の仕組みが必要です。

現在の中央依存・大手依存の体質を脱して縦割りの発想を改め、地域の人々が地域の課題に向き合い地域循環経済をつくりだすことこそが地方創生の道だと思います。

地域の産学官の力を集める

私はこれまで、宮崎県や日向市で行われたさまざまな総合計画づくりに参加してきました。地域のあるべき姿や施策を総合的に考える場ではありますが、残念ながら地域の課題や必要な施策について定常的に考える場になっていません。

宮崎県や日向市をはじめ全国の自治体で制定が進んでいる中小企業憲章や中小企業振興基本条例の精神を活かして、いつも産学官が課題を共有し、有効な手立てを提案するための協議の場をつくる必要があります。

また、下請けから脱却して地域に新たな市場を求めることで、地域の経済に大きく貢献できるはずです。そのためにも私は、中小企業家同友会活動に積極的に参加するだけでなく、さらに地域における横のつながりを厚くしていきたいと考えています。

そこで思いを同じくする人と相談しながら新たにつくったのが産学官の連携組織「ＭＡＮＧＯ（マンゴー）」です。ＭＡＮＧＯの名前はもちろん宮崎を代表するフルーツの名前から取ったものです。10年ほどの間に１００のプロジェクトを生み出し、１０００名の雇用を実現することを目標にスタートさせました。

これは単なる勉強会ではなく、地元の宮崎大学や産学・地域連携センター、行政などの協力を得て、研究や情報交換にとどまらず実際に新しいサービスや商品を事業として生み出すことを目的に立ち上げました。

このときに大いに参考になったのが１９９２年に正式にスタートしたＩＮＳ（岩手

ネットワークシステム）です。岩手県内の科学技術や研究開発に携わる産学官の人々の交流の場としてつくられたもので21世紀の岩手の科学技術と産業の振興を図ることを目標とした組織です。

大きな特徴は、個人参加を原則とし組織や肩書きに縛られない自由な交流を目指しているところにありました。もともとは居酒屋でたまたま隣り合わせになった人たちの自由な議論がきっかけだったそうで、ＩＮＳを「いつも飲んで騒ぐ会」の略称だと紹介するウィットの精神も、この会らしい自由闊達さを表していると感じました。私はこの個人での自由参加というスタイルに、地域での産学官の連携のあり方のモデルにすべきものがあると考えました。組織の看板を背負っていると、これは言えるけれどこれ以上は言えないということが必ず出てきてしまうからです。これでは個々人のアイデアやキャラクターが生かせません。

このＩＮＳと並んで私が参考にしたものに、北海道で聞いた産学官連携組織の話がありました。これは行政や大学が中心となる従来の産学官連携と異なり、産業界が中心となった産産連携に大学や行政が支援するという仕組みです。

宮崎でも新規事業の創出のためには、従来のように行政、技術センター、大学、民間企業がバラバラに研究開発に臨むのではなく、産学官の連携が欠かせないと考えられ、実際にさまざまな連携事業が行われてきました。

しかし実際の事業創出に結びついた例は多くありません。どちらかといえば研究や情報収集がメインでいつまでにどういう事業として立ち上げるのか、その工程表をどう組むのかといった具体的な追求は弱かったと思います。

これまでは右肩上がりの経済成長のもと、大量生産・大量消費の枠のなかでの企業経営が続いてきました。市場のニーズや社会の困りごとを意識しなくても、いわれたものをつくって売っていればそれで企業経営は成り立ってきたのです。しかしもはやこの延長では企業の未来はないし地域の衰退も止められません。新しい価値を生み出さなければならないのです。

未知のことにも挑戦する勇気や情熱、できない理由を考えるのではなくできる方法を考えるプラス思考、どうせ無理というのではなく、こうやってみようといえる姿勢が大切です。産学官連携も変わらなければならないと思いました。

まずは自由に地域の未来を思う産学官の有志が集まって、開発テーマとして具体化される以前から日常的に活発に議論を交わすことが必要です。やがて事業アイデアが形を見せてきたら、産産＋大学、行政という産業界主導の連携スタイルで、きちんとスケジュールも定めながら具体的な事業創造へと向かうということです。それをMANGOで実践しようと思いました。

MANGOは何かしてほしいと要求する団体ではありません。お互いのために何ができるのか、どういう支援をしあえるのかを考え、地域の資源や知恵を活用して新事業を創造するアクティブな組織です。

実際MANGOからは新商品が誕生しました。その一つが薬草を使った手軽に飲めるお茶です。従来は薬草専門店から薬品会社にだけ提供されていた薬草を製茶の会社が協力して手軽においしく飲める薬草茶として新たに開発し「薬草専門店がつくるオリジナルブレンド茶」として商品化したものです。

また宮崎県が進める東日本復興支援事業の一環として、岩手県のワイン生産者が厄介者と思っていたという山葡萄の蔓と宮崎県のお茶の葉を使った染め物を考えました。草木染めならではのやさしい色合いの風呂敷が出来上がりました。

ＭＡＮＧＯは産学官連携組織ですが、一般社団法人として日向地区中小企業支援機構もつくりました。これまでも日向地区中小企業技能センターというものがあり、技能者の技術の向上と資格取得のための講習会の開催、各技能者・技術団体の交流、情報提供などを行ってきました。

この活動の幅をさらに広げて地元の中小企業を支援し、彼らがもつ経営資源をさらに磨き上げ、新しい商品やサービス、仕事を一緒に考えながら地元でつくりだしていこうと考えて立ち上げたのが中小企業支援機構です。これも賛同してくれる人とともにつくった組織で、私は代表理事を務めています。市や商工会議所にも加わってもらっていますが、行政内の一セクションではありません。行政や大学などとの連携を取りやすくするため、あくまでも民間の法人として組織し、より広がりのある自由に動けるネットワークにしました。

さらに具体的な仕事創生拠点として日向市産業支援センター「ひむか-Ｂｉｚ」の開

設を提案し、その運営を支援機構で担っています。
「ひむか-Ｂｉｚ」は日向市の中小企業・個人事業者、起業創業を目指す人を対象に、マーケティングやマーチャンダイジング、広告・宣伝などにも詳しいスタッフがさまざまなビジネスサポートを無料で行う産業支援施設で、悩みや課題を聞いて解決策を提案しています。この「ひむか-Ｂｉｚ」は中小企業支援分野の成功例として知られる富士市産業支援センターｆ-Ｂｉｚ（エフビズ）をひな形にしたものです。ｆ-Ｂｉｚの考案者でありセンター長も務めていた小出宗昭氏に実際に話をうかがいながら立ち上げました。従来の公的な中小企業支援といえば、補助金や助成金の紹介や申請支援、制度融資の紹介などが主だったと思います。

しかし「ひむか-Ｂｉｚ」は、こうした側面支援ではなく既存事業の売上をいかに拡大するか、どのような新規事業が有望なのかといった実践的で具体的なテーマについて、専門家がより踏み込んだ内容で支援を行うものです。いつでも誰でも利用できます。

寄せられた相談をきっかけに立ち上がった事業も少なくありません。例えば鋳物製造の会社から事業の幅を広げたいという相談がありました。鋳物は熱の伝導性が高く、また蓄熱しやすいという特徴があります。家庭用の鍋の製造を提案したところ、実際に商品化が実現し販売も好調でした。

また地元で歴史のある和菓子店から創業50周年の記念企画をしたいという相談が寄せられ、県の特産品である「へべす」を使った新製品をコンセプトの立案から商品企画まで時間をかけて進め、さらにパッケージデザインや価格についても一緒に検討を進めました。従来、一商店がこれだけのサポートを無料で受けられるということはありませんでした。地域の事業者にとって利用価値の大きな存在になっていると思います。

新規事業以外にも効果的な広告展開をしたいがどうしたらいいかといった相談にも乗っています。中小企業は本業の製品づくりで精一杯でパブリシティや広告・宣伝の方法、地域とのコミュニケーションの取り方などについて、専門部署の設置や専任の担当者を指名する余裕がありません。そうしたことについても気軽に相談できる場所にしています。

地域創生に挑む人を育てることも必要

地域循環型経済には、地元を愛しその豊かな未来を思い描きながら先頭で地域を引っ張っていく志の高いリーダーの存在が欠かせません。またリーダー育成だけでなく、経営者自身が変わっていかなければならないという問題意識もあり、私たちは宮崎県工業会県北地区部会の下に「次世代リーダー育成塾こころざし」を立ち上げました。

きっかけは２００６年から２００７年にかけて宮崎県工業会と延岡市工業振興課が一緒になって工業振興ビジョンを作成したことです。どうすれば宮崎県北地域で工業振興を軸にした地域の活性化を実現できるのか考えながらビジョンをまとめる作業を、地元企業の経営者の一人としてお手伝いしていたのです。

そのなかで私が感じたのは地域振興にはきれいに整ったビジョンよりもまず熱意ある担い手が必要だということでした。それらしい将来ビジョンは国のレポートや先行している他都市のビジョンを参照すれば苦労することなくつくれます。

しかしそのようにしてつくられた美しいビジョンが実際にどれほど地域の人の心を動

かし、実現への道を進み始めたかといえば甚だ疑問です。立ち消えになってしまったものも少なくありません。

私は工業振興ビジョンの策定や実行のためにも、志を高くもちリスクを恐れずに挑戦する起業家精神をもった経営者を育てなければいけないと考えています。いくら紙の上にビジョンを美しく描いてもその担い手が育っていなければ文字通り絵に描いた餅に終わります。危機感を共有し、切磋琢磨しながら本気で企業と地域を引っ張っていく人材を育てなければなりません。

「次世代リーダー育成塾こころざし」は与えられた素材を学んだり習得したりすることが目的ではありません。現在の社会や地域の課題を自分で発見し、その解決と地域がこれから目指すべき方向を模索し、塾生同士で議論を重ねながら解決を目指して主体的に活動していく組織としてつくられているのです。「次世代リーダー育成塾こころざし」には約20名の企業人・行政関係者が塾生として集まり、月1回会合をもって毎月の課題図書の読書レポートや定例会、課外活動などに取り組み、合計3年間にわたり学びを重ねます。カリキュラムについては今も試行錯誤を重ねていますが、すでに3期生まで送り出しました。

現在も新規に集まった塾生が地域活性化のために何をすべきかを話し合い、その実行を牽引する地域のリーダーになるために学んでいます。

大学に「地域資源創成学部」が誕生

地域循環型経済の確立は産業界だけでできるものではなく、また行政との連携だけでできるものでもありません。教育研究機関の担い手、そして教育を受けてやがて地域社会を動かす側に回る学生や生徒が地域循環型経済を支えるメンバーとして育ってこなければなりません。

地域循環型にはモノやカネの循環だけでなく人の循環も大切な要素として含まれます。「若者の県外流出」が高い比率で続く限り、地域のメンバーによる地域の再生はできないのです。教育を通していかに地域の魅力や地域が現在抱える課題を伝えていくか、そしてその解決をどう図っていくかということを主体的に考えるメンバーを育てていかなければなりません。またそのためには地域に関する教育に携わる人も育てていく必要があります。

私の地域ではまず行政の一部である技術研究センターや大学との連携を意識的に強めることを考えました。地方都市には、工業技術研究所や産業技術支援センターといった組織があります。名称こそさまざまですが、いずれも地元の産業を支援するために基礎研究や技術開発を行っています。

ところがこうした研究は内部で論文をまとめて終了するということが少なくありません。研究テーマや成果も地域の産業界に向かって発信されることはないのでこれはもったいないと思いました。ＭＡＮＧＯへの参加を呼びかけたり直接相談をもち込んだりしながら、地域課題の解決を一緒に担ってもらえるように関わりを強めていきました。

さまざまな場面で地域の将来を真剣に考える人を結び、議論を積み重ねてきたことが一つのきっかけとなって２０１６年に地元の宮崎大学に5番目の学部として地域資源創成学部が誕生し、２０２０年からは同じく宮崎大学の大学院に地域資源創成学研究科が誕生することになりました。私が直接何かをしたり働きかけたりしたわけではありませんが非常にうれしい出来事でした。

　地域資源創成学部は従来の教育文化学部から分かれて設置されたもので「地域資源に新たな価値を創出することにより、地域に広くかつ長く生き続ける成長産業の振興および地域活性化を企画し、国内外に向けてマネジメントできる実務的素養を身につけた人材を育成すること」を目的に掲げています。文理融合のカリキュラムが組まれ、教員の多くが公募で採用された企業や行政の実務経験者です。初代学部長に就任したのは経済産業省で長く地域振興に関わった吉田雅彦氏でした。新入生となった1期生は宮崎県内出身者が74％、９割以上が九州の出身者で占められていたそうです。

　吉田氏は新たに地域資源創成学部で学ぼうとする学生に向けて、地域で役立つには第一に「地域への思い」、第二に「思考の基礎的訓練」、第三に「社会人基礎力」が大事であり、なかでも最も重要なのは「地域への思い」であると語っていました。吉田氏は現場実習やインターンシップを積極的に行い、学生たちに地域で活躍する先輩の話を聞く機会をつくり、心のなかに故郷を思う明かりをともしたいと意欲的に話していました。

地元企業や地域の将来を考えたとき、人材の育成は非常に重要な課題であると思います。地域発の地域振興を果たすためには地域に有能な人材が育っていなければなりません。大学新学部や大学院の研究コースに地域資源創成が加えられたことは大きな価値のあることだと思いました。

自作ロケットに上がる歓声

私の会社も地域で長く事業を続けている会社でありながら、地元の人にどこまで存在が認知されているかと考えると非常に心細いものがあったのです。

ＢtoＢの業態であったこともその一因だと思います。私の工場も地元で知られていたわけではなく「あそこは昔からあるけど何をつくっているんだろう?」と思われていたと思います。鉄工所には安全管理上の面から一般の人が工場敷地内に自由に出入りすることはできず、以前は工場を地域住民に開放することはありませんでした。しかし危険だから自由に出入りすることはできないと頭から決めつけず、どうすればできるかと全社員で考えることにして、安全を最優先にしながら工場見学プログラムをつくりました。

小中学生や高校生、大学生、さらに学校の先生や一般の方々まで、誰でも工場見学の要請があればすべて応えるようにしました。私の会社が何をやっているのか、どんなものをつくっているのかを案内して説明します。地元にこんな会社があるのだということを体験して知ってもらいたいと思うからです。

また自分たちだけで内側から会社を見ているのではなく、外から見なければ知ることのできない問題点があり、工場を見た学生たちの感想を見て学ぶところも多く、企業側としての実りもあるイベントとなっています。

小中学生や高校生向けにはロケットづくりの体験も提供しています。

ひと通り工場内を案内し、働くことや生きることについて私の考えていることなどを話したあとにキットを使って一人ひとりが設計図を見ながら自分のロケットをつくるというイベントを行っています。こうしたモデルロケットの製作と打ち上げを宇宙教育やものづくり教育活動として展開している協会があることを知り、協力をいただいています。

キットのロケット本体は全長30センチ余りで材料は難燃性の紙とプラスチックです。簡単な仕組みで安全性の高いものですが、打ち上げには本物の火薬を使います。時速180キロで飛び出して150メートルくらいの高さまで打ち上がり、パラシュートを開いて降りてきます。製作の過程でものづくりや協力してつくることの大切さもしっかり伝えるようにしています。

また着地点について目標を決め一定の範囲内に収まるかどうか目標への近さを競うというコンテストもしますが、このときは風の強さなども勘案しながら打ち上げの方向や傾斜角を計算することを教えるなど学習要素を加えるということもしています。

つくっているときは本当に打ち上がるのかどうか、みな疑心暗鬼なのですが、実際に自分のロケットが空高く打ち上がると大歓声が上がります。ものづくりの楽しさを知って目を輝かせる子が多く、この体験がその後の学校の学びや将来社会人になるときに生きてくるだろうと思っています。

さらにインターンシップにも積極的に取り組んでいます。これも採用活動に絡めて行っているのではありません。あくまでも職業教育の一助になればと学生を受け入れ、働くことを体験してもらっています。

出前授業のようなものに積極的に取り組んでいるのも産業教育を地元企業として担いたいと考えるからです。こちらは工場見学とは反対に、学校に出て行く形で進めるものですが、地元の中小企業を誘って一緒に学校を訪問しています。自社がどんなものをつくっているか、地元でどういう役割を果たしているかといったことについて紹介するもので、自社の採用活動にしてはいけないということをあらかじめ申し合わせています。

宮崎県は優れた自然条件のもとで農林水産業が盛んであることを背景に普通高校に対する専門高校（商業、工業、農業）の割合が高いのが特徴です。全国では7対3くらいで普通高校が多いのですが、宮崎県では5対5くらいの比率です。

専門高校に通う生徒に対するキャリア教育が重要と考え、県下の7つの工業高校から100人を選んで2泊3日の日程で学習のカリキュラムを組んだこともあります。自分たちで世の中の課題を見つけ、それに対する解決策を考えてグループ単位で発表するというもので、例えば「できる限りエネルギーを使わず、我慢するのではなく楽しく暮らせる住宅をつくる」ということをテーマにアイデアを出し合ってプレゼンテーションをしてもらいました。

基礎知識を学ぶだけでなく社会や地域に向き合い、課題を見つけて解決策を考えるということは早くから取り組むべきことだと思います。今の高校生はそうしたことを学ぶ機会がほとんどなく、また地元にどんな会社があるかも知らないまま就職期を迎え、安定志向・大手志向で県外や大都市圏の大手・中堅企業に就職してしまいます。その結果どうも合わないと早期に退職してしまうといったことが起きています。

また先生や保護者が地元の企業のことをよく知らないというケースも少なくなく、先生が知らなければ生徒に伝えることもできないので、普通科の先生が地域の企業を訪ねて歩くというツアーを企画したこともあります。

私は県の工業会の人材育成分科会委員長を務めており、産業教育に積極的に取り組んでいます。高校の先生方を中心に教育界にもさまざまなつながりができ、県の教育委員会に携わり、教育委員長も歴任しました。地元経済界出身者としては9年ぶりのことと言われましたが、働く意識をもてないまま学校や親の勧めで就職し、すぐに離職してしまう若者が少なくないなかでこうした雇用のミスマッチを防ぐためにも学校教育に企業が関わることの重要性を訴えていきました。教育委員長になると委員会としての大きな方針の決定や県議会での答弁などもあり、会社経営のかたわらで担うのは簡単ではありません。しかし企業は企業、教育は教育と切り離されている限り、人の地域内循環は生まれず地域力の向上も実現しません。

子どもたちが小さいときから地域のことや働くということを考えたり、さらにいえば自分の生き方を考える機会を提供することは重要であり、それができるのは地域の中小企業だと思います。

［第4章］

食・環境・エネルギー……地域社会全体の課題にビジネスチャンスが埋もれている

地域の課題と発展の展望はどこにあるのか

地域を構成するあらゆる企業や組織が枠を超えて横につながり地域の課題を見つめて解決策を考えることが地域再生につながります。そのために自社がもっている特徴や能力を地域のために最大限に生かすことを考え、横につながって地域資源を活かして地域の課題を解決し地域の魅力をつくり上げて地域に再投資する地域循環型の経済の確立が必要です。

もちろん地域によって目指すべき姿は異なり、そのなかで個々の中小企業が果たす役割も異なります。一つの正解があるわけではありません。宮崎県の日向・延岡地区という県北の工業中心の街に立地し、長く産業機械の製造を行ってきた私の会社が進めた地域循環型経営は次のようなものです。

まだ道は半ばですが、私の会社はそのなかで下請け率7割の現状から少しずつ地域に根ざした企業への転換を進めています。

地域で新たに築いたさまざまなネットワークやリーダー養成塾、学生・高校生との対話などを通して学びを重ねながら、地域力を生かした価値を創造するため、私の会社は実に多くのことに挑戦し始めました。

宮崎県は、日照に恵まれ温暖な気候であることで知られています。年間の日照時間は山梨県、高知県に次いで全国３位、快晴日数は埼玉県に次いで全国２位、年間の平均気温は沖縄県、鹿児島県に次いで全国３位の高さです。この３つの指標をもとに宮崎県が独自に設けた総合評価「ひなた指数」は全国１位です。気候に恵まれて農業も盛んで農業産出額は全国５位、林業産出額は全国４位、なかでもスギの生産量は全国１位です。また漁業も盛んで産出額は全国15位です。近海カツオの一本釣りの漁獲量は全国の６割を占めて第１位、養殖ウナギの生産量も全国３位です。

こうした一次産業が盛んな宮崎県は、消費者物価地域差指数（全国平均を１００としたときの指数）が95・９で全国一物価が安いことで知られています。

都道府県別の合計特殊出生率も沖縄県、島根県に次いで第３位、子どもが３人という世帯の構成比は沖縄県についで全国2位、４人は沖縄県、長崎県についで第3位と、子だくさんの家庭が多く暮らしやすいのも特徴です。一次産業の隆盛こそ宮崎の特徴であり、さまざまな魅力の源泉です。

しかしこの一次産業も決して安泰ではありません。

農業は地球温暖化に伴って頻発する異常気象のために収穫がいっそう不安定化し、厳しい経営環境におかれています。県内の農業従事者の平均年齢は２０２０年で63・５歳と過去５年で１・８歳上昇、同５年間に宮崎県の総農家数は２割減りました。また今後５年以内の後継者の確保状況は全体の約２割にとどまっているという状況です。

林業も状況は似ており、林業経営体は２０１５年から２０２０年までの５年間で44％も減少しました。２０１５年時点の就業者の高齢化率は23％と過去最も高くなっています。また県内の製材工場の数は２００６年には２０６を数えましたが、10年後の２０１６年には１４５まで減少しました。その後も毎年減り続け２０２０年には１３２となっています。製材品の出荷量で見ると年々増加はしているのですが、県外への出荷割合が増え続けており、２０１９年の数字では県内に出荷されたものの割合は27％、73％は県外に出荷されています。

県内の需要をすべて満たし、その余剰が域外に輸出されているのではありません。その証拠に県内で住宅を建てたり木造の施設などを建てる際、県産材をもっと使ってもらうために予算措置を講じて県産材活用キャンペーンを行う必要があるほどに県内での消費は低迷しています。県民にとってはすぐそこに地元の良材があるのに、それが非常に使いにくいという構造ができてしまっているのです。その消費に補助金を使うよりは少し回り道でも県産材が当たり前に地域に流通し循環するエコシステムを作り上げることが必要だと思います。

全国４位の林業産出額と全国1位の杉の生産量を誇りながら、製材や加工、住宅や中規模施設の建設、さらに家具製造といった二次産業と十分に連携できていないという実態があるのです。例えば県内の住宅建設を県外に拠点をもつ大手ハウスメーカーが担う場合はより調達コストの安い外国産などの木材を一括して仕入れ、大規模工場で効率的に加工して建築現場に持ち込んで使うことが少なくありません。そのほうが住宅などの製造原価が圧縮でき利益が大きくなるからです。

つまりせっかく生産量1位の杉の原木があっても、それを市場で競争力のある二次製品につくり上げるエコシステムをもっていないために域外の加工工場に運ばれて付加価値が付けられ、域外で消費されてしまっているのです。原木丸太の売上こそ山林農家の所得となりますが、製材・加工といった周辺産業は地域内では育たず、それに関連する所得は域外のものとなってしまいます。

住宅建設も価格競争力の高い大手ハウスメーカーや大手フランチャイズ加盟の工務店などが受注すれば、県民が住宅取得のために高いお金を払ってもそれは域外の本社や本部の所得になり、さらに域外の加工工場や製材工場の所得になり、外に出て行ってしまうのです。同じことは農業や漁業、あるいは観光業にも当てはまります。

農産物や水産物の加工が域外で行われたり、域外に本社をもつ支店や分工場で行われればそれによる付加価値によって生まれた所得は出て行ってしまいます。それが域内に再投資される保証はありません。観光業でも例えば特産のお土産品が域外で生産されたものであれば売上の多くの部分が域外の企業の所得になってしまいます。

従来盛んに行われてきた企業誘致・工場誘致は、この観点からいっても地域を強くするものにならないことが分かります。一定の雇用が生み出され、地元商店に少しお金が落ち、地方税の増収はあっても生産による所得の大半は本社のものであり、地域を潤すものとはなりません。

実際宮崎県も長年にわたる企業・工場誘致の施策が取られるなか、地元経済の大手企業依存度は非常に高くなってしまいました。県が発表する「経済センサス基礎調査」を基にした研究でも宮崎県では製造業売上高の5割、地域によっては8割を、東京に本社を置く大手メーカーの支社や分工場が計上しており、小売業でも売上高の5割以上は全国でチェーン展開する大型店の支店、支社によるものになっているという分析が示されています。原産地で生産されたものが、物流や販売の過程でその価値を収奪されることは全世界的な問題です。

地方経済の仕組みそのものを域外の大手企業に依存したものから地域循環型に変えなければ地方創生は実現しません。

林業生産が全国有数であるならただ原木を売るというだけでなく、ドイツの地方都市の例にあるように製材・加工産業、住宅産業や家具産業、さらには解体材の再利用まで含めた裾野の産業を育成し、担い手も育てながら地域が誇る産業に発展させるべきです。森林業者を取り巻く大きなエコシステムを域内に育てることで地域内循環を実現すべきだと思います。そのためにこそ地域の中小企業や大学・研究機関一体の取り組みや、行政の補助・支援があるべきだと思うのです。

地元の資源を活かして創造する

私が住む宮崎県の農業は基幹産業で認定農業者数（法人）は全国5位、農業者などによる農産物の加工の年間販売金額は全国で4位です。畜産品も出荷量も多くブロイラーと豚は全国2位、肉用牛も全国3位です（農林水産省「令和元年農業産出額」）。

私の会社も食肉加工機械の製造を行っており、非常に裾野の広い産業だといえます。宮崎の発展を考えるなら農業振興はその中軸に据えられるべきです。

しかしこの農業もさまざまな課題を抱えています。担い手の高齢化や後継者不足は深刻化しており、生産性の低さや付加価値を付けないまま出荷されることによる価格競争の激化や利益率の低さ、天候の影響による想定できない価格変動と収入の不安定さといったこともあります。特に最近は、地球温暖化に伴うゲリラ的な豪雨の発生や台風の頻繁な発生などの異常気象が農業に大きな影響を与えています。

結局、各農家はＪＡに納めるという形で最低限の収入を確保することしか経営安定の道がないように見えます。天候による収入の不安が払拭できない限り、新たな設備投資もできません。

地域全体を豊かなものにしていくためにはこうした農業の課題を解決し、地域を支える基幹産業として守り育てていくことが必要であり、それに貢献できないかと思いました。

私の会社は鉄工所で産業機械の製造をしているので一次産業である農業とは直接の接点はありません。しかし地元の企業として地域の抱える課題の解決に貢献することは私たちの使命です。産業分野が異なるからといって農業を自分の問題として考えなくていいということはありません。地域循環型の経済を確立するためにも地域経済の大切な構成メンバーである農業と農家をさらに盛り立てていくことが地域に求められていると思います。

これまでは下請けという形が多かったものの、長年にわたり産業機械の製造に携わってきたことから、技術は最新のものがあります。また、これまで培ってきた計画的な生産・品質、工程や労務、原価などを管理するさまざまなノウハウもあります。

これらを駆使して生産工程の機械化のアイデアや効率的な管理手法などを農業分野に適用することで新しい農業の姿が展望できるのではないかと思いました。農業を工業の視点で見直し補強するということです。

その一つの方法としては農業用機械を新たにつくったり、ソフトウェアとして生産管理の仕組みをつくって提供するという形が考えられます。しかしこれは農家に新たな設備投資や今までにない業務の習得や負担を求めることになります。現実的とは思えませんでした。

そこで私たち自身が工業のノウハウを注いだ新たな農業のスタイルを一からつくってみる、農業を工場化するという実験をまず自分たちでやってみてそこから教訓を汲み上げ、宮崎の農業の課題解決や活性化にものづくり企業として取り組んでみようと思いました。

つまり実際に農家となって農業に取り組むことを考えたのです。そのなかから現在の農家に適用できそうなものがあればどんどん紹介していけばいいのです。

そのため思い切って新会社を立ち上げ、野菜工場を新たに建設・運営することにしました。ただし農業を会社の事業の新たな柱にして、従来の産業機械製造と農業の二本柱の会社経営にしようと考えたわけではありません。工業視点での農業改革にどういう可能性があるかを実際にやってみながら確かめ、その仕組みを農家に提供していこうと考えたのです。

「ひむか野菜光房」を設立

野菜工場建設の構想はまとまったものの、実際に立ち上げ軌道に乗せるのは簡単ではありませんでした。人伝てに姫路で野菜工場をやっているという人を紹介してもらい、そこに通いながら少しずつイメージをつくっていきました。

農業用ハウスを建設し水耕栽培で野菜をつくればいいのではないかと思いましたが具体化するにはいろいろな問題がありました。もちろん初期投資額は大きなものになります。実際に生産はうまくいくのか、仮に販売できる野菜ができたとしても販路をどう確保するのかといったこともあります。継続的・安定的に売れて利益が出るようにするのは簡単なことではありません。

これまで私は会社を経営しながら意識的に社外のさまざまな集まりに出てネットワークを広げていました。それによってできていたさまざまな接点を活かし、いろいろな場で野菜工場のアイデアを披露しアドバイスを求めました。市の農業委員会の人やＪＡの人、実際に農業に従事している人、経営コンサルタントといった人々です。

しかし反応は総じて芳しいものではなく「野菜づくり？　まったく経験ないんでしょ？　頭で考えるほど簡単ではないよ」「農業は自然相手だ。仮に工場化しても、機械部品をつくるのとはわけが違う。コンスタントに利益を出すのは難しいだろうね。事業として永続できるかどうか……」などの意見がありました。

耳に入ってくるのは悲観的な話ばかりです。そもそも鉄工所の社長に農業が分かるはずがないという感覚を誰もがもっているのだと思います。農業用機械の開発ならまだしも農業そのものに、しかも従来とは違う手法でチャレンジしようとしているわけですからそう感じる人が多いのも当然です。時間を掛けて研究を続けていきました。

アイデアを思いついたときから5年が過ぎた頃、地域経済の活性化のために次世代リーダー育成塾を立ち上げましたが、単なる勉強会に終わらせるのではなく、積極的に何ができるかを考え、新規事業を生み出していくことについて意見交換を何度も繰り返しました。塾での学びの一環として新規事業創造に関連する４つの研究会をつくることにしていましたが、私はその一つを農業分野との関わりを考える野菜工場研究会にすることを提案しました。

そして次のリーダーを目指す意欲的な塾生とともに研究会活動として先行事例を見に出かけたり工場栽培の研究会に参加したりしながら、一歩一歩、新工場の構想を具体化していくことにしたのです。

その結果、生産そのものについてはこれでできるという見通しをもつことができました。しかし販路の開拓をどうするかといったことも含めて、農業経営という意味ではまだまだ未解決の部分が多く残りました。

そんなとき地元の農家ですでにトマトの水耕栽培を行っていて販路も確保している人に出会うことができました。しかも研究会の考えていることを伝えると、一緒にやろうと手を挙げてくれたのです。非常に頼もしい仲間の出現となりました。

さらに水耕栽培の一種である養液栽培の研究者で、養液栽培プラントの設計にも詳しい園芸技術コンサルタントにも出会うことができました。そして私たちのものづくりの技術があります。

出会いを積み重ねることで実にうまく農商工の専門家が一つになることができました。３者が連携することで野菜工場の事業アイデアは大きく前進し、研究会の発足から2年後の２０１２年、「ひむか野菜光房」を設立し代表取締役には私が就任しました。

農業（生産技術）、商業（販路開拓）、工業（企業経営とファイナンス）のどれかひとつが欠けても、この野菜工場はできなかったと思います。地域でこの3者が一つの目的をもって結束することで得られる可能性の大きさを改めて感じることができました。

太陽光利用型の宮崎らしい工場に

新会社はまず建設する工場の概要を決めました。

工業化した野菜工場というのは施設内で光や温度・湿度、二酸化炭素濃度、水温などの生育環境を機械的に制御して野菜の計画的な栽培を可能にするものです。

具体的には２つのタイプに分かれ、１つは自然光の代わりにＬＥＤ照明を使った完全制御型、もう１つは太陽光利用型です。当然ですが完全制御型は設備費用やランニングコストが高くなります。

私の野菜工場ではひなた指数全国１位の宮崎ならではの環境を生かした太陽光利用型を迷いなく選びました。地域資源である日照を活かさない手はありません。会社名を工房ではなく光房としたのもこの地域らしさを活かした工場であるという特徴をアピールしたいと考えたからでした。

生産する商品はまずリーフレタスからスタートすることにしました。水耕栽培に適していることはもちろんですが市場調査をしたところ、核家族化が進むなか玉レタスは大き過ぎて食べきれないので安価で鮮度が保たれる２日から３日で食べきれる量のレタスがあればぜひほしいというニーズが高まっていると知ったからです。グリーンレタス、フリルレタス、フラワーレタス、サニーレタスの４種類のリーフレタスを生産することにしました。

野菜工場のアウトラインが決まったところで工場用地探しを始めました。

工場だからどこでもいいかというとそういうわけにはいきません。水耕栽培は一定の温度をキープした大量の水を必要とします。豊富な地下水が容易に得られることが必要です。太陽光ももともと日照には恵まれている地域とはいえ、少しでも多いほうが有利です。加えて出荷時のトラック輸送のために道路のアクセスに恵まれていることが条件になりました。手が届く価格であることはいうまでもありません。

野菜工場建設にとってエネルギー調達の問題はランニングコストを抑えるというだけでなく、工場を地域循環型として確立するために重要な要素の一つです。

エネルギーは地域で賄うことが難しく、地域外で生産されたものを購入して代金を支払うことが一般的です。漏れバケツ理論でも指摘されていることですが所得を地域外にもち出してしまう代表的な存在がエネルギーなのです。しかも支出に占める割合は小さくありません。地域資源としての太陽光や地下水を最大限活用しコストを抑えると同時にこの所得の移転をできるだけ小さくすることが必要だと思いました。

エネルギー問題を念頭に、多少時間がかかっても建設用地はしっかり選びたいと臨んだ結果、理想的な土地が見つかりました。日向市を5キロほど北に上がった東臼杵郡の五十鈴川沿いに日当たりがよく水温が17℃程度で安定し、限りなく純水に近い地下水が一年中手に入るという土地が見つかったのです。

そこに1万平方メートル（約３０００坪）の広さの土地を地元の14名の地権者から借用し、第一期工事として栽培面積４５００平方メートルのハウスを建設することにしました。

この土地探しと並行して重要だったのは、いうまでもなく建設資金や当初の運転資金の確保です。前提となる長期事業収支計画の作成については、地元の金融機関や農業法人経営者協会が積極的に手伝ってくれたので詳細なものをつくることができました。当初の建設費用は、私を含む設立者で資本金を出し合い、さらに銀行融資で賄いました。まだ操業前で実績ゼロの会社ですが、できれば事業性を評価して今後生み出されるキャッシュフローを返済原資として認める、いわゆるプロジェクトファイナンスが適用されればありがたいと思っていたのです。

しかし最近でこそこうしたファイナンス手法が拡大していますが、残念ながらそうした形の融資は叶わず、融資額に見合う担保を必要とする従来型のコーポレートファイナンスになりました。万一の場合は現在経営している会社にも影響が及んでしまうのでそれなりの覚悟が求められたのです。

しかし地域の企業として地域の課題解決に貢献できる初の本格的な事業だったので小規模とはいえ農商工の連携も整い、応援してくれる人も多いことからぜひ挑戦しようと思いました。幸いなことに宮崎県から「宮崎発・大地を活かす農商工連携ビジネスモデル創出事業」としての認定を受けることができ、補助金が支給されたことも大きな後押しとなりました。

当初の構想から数えれば10年以上を要しましたが、ひむか野菜光房は２０１２年11月に生産を開始、翌月から出荷を始めました。生産は順調で翌年の２０１３年７月には二期工事として２１００平方メートルの栽培面積をもつ第２工場を増設、合計６６００平方メートルの栽培面積となり、最大で日産８０００株の各種レタスの生産能力をもつ工場になりました。

日産８０００株を順調に生産

露地栽培と異なり工場として厳密に生産を管理しているので収穫は安定しています。土をいっさい使わない水耕栽培で具体的にはウレタンの培地に苗を植え、循環する養液に浮かべて育てるという方式です。

養液の管理は非常に重要でそこに溶け込ませている養分の量やバランス、酸素の量、さらに温度などを季節毎の外部環境の変化や生育状況に応じて、細かくコントロールしていきます。またこうした養分の適切な提供と同時に光合成を安定して活発に行わせるためのハウス内の日照量の確保や、温度を適正な水準に保つための微妙なコントロール、飽差（ほうさ）と呼ばれる空気中の水蒸気量の調整、さらに状況に応じてCO_2の生ガスの供給も行います。

こうした養液やハウス内環境の測定とコントロールのための設備、それを自動的に計算して実行するソフトウェアの開発、作業負担を軽減する省略化機械の開発は工業系のノウハウが生きるところであり、工業が農業に貢献できる大きなポイントです。

私の野菜工場では、農商工の「工」を担う私たちがその役割を果たしていきました。

また販路についてはトマトの水耕栽培をしていて共同で野菜工場を立ち上げた農家がすでに開拓していたものをまずは踏襲しました。そのルートに乗せた輸送については1日から2日分のレタスの貯蔵ができる冷蔵庫を設置して出荷前の予冷や需給調整に活用したり、冷蔵車をチャーターすることで配送をよりスムーズにしたり、輸送中にレタスが傷まないように包装袋を半密閉式にして、ある程度空気が入るようにするといった工夫も行いました。

さらに生産量と出荷量の詳細なデータの蓄積はもちろんのこと、養液成分の分析、総合環境制御システムによって収集されている気温や湿度、飽差、水温、日照、CO_2濃度などのデータを基に生育日数を把握するなどデータ活用による需給の分析や生産計画の高度化を進めました。いつ種を蒔き、どのような条件のもとで栽培すれば何日後にどれだけの量が収穫できるかということが明確になっていきました。

創業から3年ほどは市場価格の予想を超えた変動に引きずられたり設備の稼働が不安定であったり、管理システムのソフトウェアに改良の余地があるなど安定して利益を生むことはできなかったのですが、4年目以降は年商を3億円にまで伸ばし約1000万円の利益を上げることができました。その後も毎年安定して利益を上げることができています。

また地域に仕事をつくるという意味でも私の野菜工場は新たに約40人の雇用を実現し、ささやかなものではあれ地元経済に貢献することができました。

単に人数だけではありません。私の野菜工場の従業員の平均年齢は60歳です。工場内での標準化された作業であることから今まで農業に関心がなかった人も農業を経験したいと新たに加わってくれています。農繁期・農閑期などに左右されず、1日4時間や午前中に限定した勤務など希望によりいろいろな働き方ができ、誰もが働きやすい職場になっています。

また工場の管理システムを工夫したり、全体の運営を考えるITに強い若手従業員もいます。野菜工場という形の農業には従来の農業従事者とは違う人たちが入ってくることができるのです。農業に新しい人を呼び込むという意味でも、野菜工場は地元の農業に貢献することができているのではないかと思います。

最近は金融とITを掛け合わせたフィンテックという言葉がよく聞かれますが、同じように、教育と掛け合わせたエドテックや医療と掛け合わせたメドテックなどが登場しています。私の野菜工場はアグリテックを実践しています。

実際に手掛けて知った農業の課題

ひむか野菜光房の事業は、野菜づくりと品質管理に工業的な手法がどれほど役に立つかということを知ることになり、農業従事者の幅を広げるということにも大きな意味をもちました。

さらに実際に農業にチャレンジすることで生鮮野菜の販売の難しさについて改めて知ったことがあります。この解決も宮崎の農業をさらに強くするために大きな課題だと分かりました。それは生産と出荷時期がコントロールできないという露地栽培の宿命的な問題です。これが市場価格を決める要因となり、工場栽培の農業も縛ることになっているのです。

レタスは春と秋に収穫期があります。露地物が大量に市場に出るのでこの時期は価格が大きく下がります。一方、私の野菜工場のレタスは工場生産ですから収穫は1年を通して安定しており、出荷価格の変動はありません。そのためこの時期に限っては私の野菜工場のレタスが相対的に高くなってしまうのです。

一般に工場で生産される野菜は、品質管理がしっかりしていることから価格はやや高いといわれ、実際その傾向はあると思います。しかし私の野菜工場のレタスは、工場生産でありながらエネルギー価格を抑えたり、生産の大幅な効率化を図っているので価格は決して高くありません。それでも市場に露地物が大量に出回る時期にはやや高いと見られてしまい、売上が伸びず、また利幅も薄くなってしまいます。

逆に露地物が品薄になる夏場などは、多少価格が高めでもいくらでも欲しい、どんどん入れてくれといわれます。

つまり価格を安定させ、収入の季節変動をなくして収支を安定させ、計画的な設備投資などができる農業にしようと思っても市場価格が露地物を基準に決定されるのでそれに引きずられてしまうのです。

そこで２つの対策を考えました。

１つは市場価格の変動を見ながら収穫時期と収穫量をコントロールすることです。私の野菜工場はもともと工場生産ですから通年の生産ができ、かつ平均的な生育期間などはデータとして明らかになっています。発芽させ苗にしたものを定植してから収穫まではだいたい19日で、１年に19回転させることができます。

初年度は無理ですが２年目以降は販売データが溜まっていったので年間のどの時期にどれくらいの需要があるのかということは推測できます。その需要データと露地物レタスがいつどれくらい出てくるのかというデータを突き合わせ、２週間後の需給バランスがどうなるのかをみて、もし供給が過剰になって価格が下がると思われたら生産量を減らすという調整をすることにしました。

ハウス内の環境条件はすべて刻々と計測され、生育がどう進むのかは分かるので生産に何日を要するかは明らかですし、環境条件を変えてその時間を一定程度伸ばしたり、逆に縮めたりすることも可能です。詳細な生産計画と販売計画を立てて実行することで市場に商品が溢れるときは少なく、市場に少ないときは多く出荷するようにして価格変動の幅をできるだけ抑えることにしました。

もう1つの対策はより根本的な取り組みですが工場生産であるために常に安定した供給ができる点を活かして年間を通して一定価格で購入してくれる販売先を開拓していくことでした。「ひむかと年間契約をしておけば、品物がなくなることはないし、価格も安定している。市場より少し高くなる時期はあっても、品質も価格も安定しているからそれが十分メリットになる」と受け止めてもらえるようになれば、年間契約に基づいた計画的な生産と納入ができます。

収穫即出荷に伴う悩みを解決する

季節による市場価格の変動への対処は、私の野菜工場では「生産管理による出荷時期の微調整」と「年間を通して生産が安定しているメリットを活かした年間契約方式」の2本立てで克服していくことができました。

しかし大多数の露地栽培農家にとっては、この変動は非常に大きな問題であり続けているということに改めて気づきました。

実際今でも大豊作で販売価格が下がり、収穫して出荷すればするだけ赤字になるので作物を捨てているということが報道されることがあります。もともと自然が相手の産業です。収穫量の変動による市場価格の変動に翻弄されることが多いという問題を農業は解決できていないのです。

収穫時期は決まっていて採れるときは一斉に採れます。また日照が少ない、降水量が少ない、気温が上がらない、などといったさまざまな要因で収穫量は毎年変わらざるを得ません。しかも農産物には鮮度というものがありますから、収穫量にかかわらず、収穫したものは日をおかず残らず市場に出さなければなりません。品薄になって需要が増えるのを待つということはできないのです。

つまりどれくらい採れるかは自然の条件次第であり、加えて採れたら即出荷しなければならないので価格のコントロールはできないというのが露地栽培野菜の宿命なのです。種を蒔く時期、育てる時期、収穫する時期、そしてその年の収穫量はすべて自然の摂理によって決まってしまうので人の手で自由にすることはできません。

しかしだからといって手をこまねいて何もしなければ、今後も収穫が多過ぎて価格の暴落を避けるために作物を捨てることになったり、市場価格の変動による利益の増減が大き過ぎて事業が安定しなかったりということが続きます。

計画的な投資がしにくいので、その不安定さを嫌って若い人をはじめとした農業の新規参入者が少ないという現状を今後も繰り返すことになるのです。農業は後継者不在で先細りし、宮崎県が誇る産業であり続けることが難しくなってしまいます。

実は採れたら売るのは仕方のないこととはいえ、生産者側の一方的な理屈なのです。この点では林業も同様です。植林した木が良く育ち、伐採・出荷の好機を迎えたからという理由だけで伐採して市場に出荷されています。

本来考えなければならないのは市場からの需要のはずで、消費者がどれくらい必要としているのかを調査してから供給するのが商売の基本です。実際ヨーロッパで林業を見たときも市場ニーズが山に伝わり、それに合わせて必要な量の木を伐り出すということが行われていました。

確かに農産物には鮮度という価値があり、新鮮なうちに流通させなければ商品としての価値がなくなってしまいます。そのため生産者の都合で収穫即出荷になっています。

ただし農産物だから仕方がないとすべてを完全になりゆき任せにするのではなく、需要の変動を見ながら手元にためて出荷をずらしたり強いニーズのあるところに運んで販売したりと、ニーズを睨みながらできるだけ価格が維持できるように出荷を調整することができればこの問題は小さくすることができます。

同じ生鮮品でも魚は瞬間的に冷凍して出荷時期を人間の都合で調節しています。農産物はそれができませんが、冷凍はできないまでも鮮度保持装置があれば収穫後に市場に出すまでの時間を調整することが可能になります。遠方に運ぶ際の鮮度維持にも有効です。工業の知恵でこの鮮度保持装置が開発できないかと考えました。

今までにない鮮度保持装置を開発

しかし検討を始めると容易ではないということが分かりました。

野菜や果物が鮮度を落とす要因の一つは生鮮野菜が自分の糖分を使いながら生き延びていることです。当然食べる側からすればその分だけ味が落ちていくということになります。葉物の野菜などは葉の表面から水分を蒸散させることで養分を吸収しようとしますが、収穫後は土中からの水分補給がなくなるのでただ一方的に水分を失い干からびてしまいます。つまり冷温で代謝のスピードを抑えると同時に、十分な湿度を保つことが鮮度保持には有効になるわけです。

ところがここに問題がありました。温度を下げれば自動的に湿度も下がってしまうのです。空気はその温度によって含むことのできる水蒸気量が決まっています。温度が低ければ低いほどその量は少なくなるのです。

低温の冷蔵庫内で加湿器などを使って湿度を上げようとすれば空気は水蒸気を含むこ

とができないので庫内の壁面や貯蔵物の表面で結露し水滴だらけになり貯蔵物を傷める原因になります。そのため一般の業務用冷蔵庫や貯蔵庫は温度の設定はできても湿度を設定することはできません。しかし野菜などの鮮度保持のために欲しい環境は、低温でありながら高湿度であることです。

このとき私の頭に思い浮かんだのは宮崎県の工業技術センターでの鮮度保持に関する研究でした。

自分自身が農業に携わり、価格変動に翻弄されることが多い実態を知り、宮崎の農業にとって重要な要素だと感じました。大消費地が近くになく、また高速道路や高速鉄道などの交通インフラ整備も遅れている東九州地域の宮崎の農業にとって鮮度保持は県産の優れた農産物の価値を維持し、あるいは新鮮という付加価値を付けて販売するためにも非常に重要なことなのです。

改めて工業技術センターの研究を追跡してみると、従来の冷蔵庫ではできない低温領域での湿度コントロールというテーマですでに論文も発表されて成果も出ていました。

これは使えると私は思いました。ＪＡ日向と共同で、単なる研究に終わらせずに宮崎の農業のために製品化まで進めましょうと呼びかけ宮崎県にも働きかけました。

その結果２０１４年度の県の産学官支援事業「大型冷蔵施設及び冷蔵トラック用の低温調湿貯蔵装置の開発」として採択され、それを実際の冷蔵庫に搭載し低温域での湿度コントロールが実際にどれほどできるか実証実験を進めることにしたのです。

私が代表を務めるひむか野菜光房と日向中島鉄工所（当時）のほかに県内に本社を置くショーケース・冷凍冷蔵庫のメーカー、宮崎大学農学部そして宮崎県工業技術センターが連携しました。まずは鉄道貨物用コンテナを改造して試作品としたものを実際に運転しながら細かくデータを取り、性能を検証しながら製品化への最終工程を進めていくことになりました。

私の会社からも社員3人を専属の担当として充てて試作を重ね、実験の開始から最終的な製品の完成までにはさらに5年を要しました。そしてついに２０２２年３月に完成しオリジナルの業務用低温調湿庫として発売することができました。

最大の特徴は庫内温度を３℃～15℃、庫内湿度を80～98％の範囲で、それぞれ任意で設定できるところにあります。例えば庫内温度３℃で湿度98％ということが可能になり、従来の鮮度保持日数の限界を大きく突破するものになりました。従来は２日から３日が限度と言われていた生鮮野菜・果物の鮮度保持をこの低温調湿庫なら約10日まで延ばすことができるのです。

技術の特許は宮崎県工業技術センターが所有し、私の会社がライセンスフィーの支払いと引き換えに使用許諾を得て製造・販売するという形を取りました。

低温調湿庫が生み出す新たな価値

新しい低温調湿庫は私の野菜工場で活用するのはもちろんですが、全国有数の新鮮野菜の生産地である宮崎県では長期の鮮度維持ができれば、さらに販売を拡大したり付加価値を高めていけるものが数多くあります。例えばホウレンソウ、日向夏、へべす、にら、きんかん、マンゴーといったものです。

低温調湿庫を活用すれば収穫し、鮮度が落ちないうちに即出荷するという従来のスタイルに縛られる必要はありません。もちろん一定の限度はありますが従来のように収穫即出荷と考える必要がなくなります。レタスの例のように市場に同じ品物が大量に出回っているときを避け、タイミングをずらして出荷したり、逆に市場価格が高いときを狙って出荷することが可能になります。また収穫量にかかわらず出荷量を平準化できれば販売価格を安定させることもできます。

これまでは鮮度が保てないということから遠方に運べなかったものも、輸送のときに低温調湿庫を活用すれば販路は一気に拡大し、大きな市場を相手に生産することができます。また鮮度を維持しながら運ぶことができれば、さまざまな二次加工の可能性も広がり、加工先とのコラボレーションによってより付加価値の高い商品にすることができます。

低温調湿庫のメリットはそれだけではありません。野菜や果物の収穫にはそれに引き続く選果作業が欠かせません。収穫量（入荷量）の変動が大きいと人の手配が計画的にできず、大量のものを捌かなくてはならないときは一時に大量の人手を用意したり長時間の残業を求めなければならなくなり、労賃がかさんでしまうこともあります。

しかし鮮度低下の心配をせずに一定期間の保存ができれば時間ができたときに多く捌くなど、選果作業も平準化させ計画性をもって進めることができます。

また青果物の仕入れの立場でこの低温調湿庫を活用すれば市場価格が安いときに大量に仕入れたり、1回の仕入れ量を増やして仕入れ作業に充てる時間を減らし、労働効率を上げることもできます。短時間で鮮度の落ちるものは廃棄に回ることも多く、フードロスとして大きな社会問題になっています。低温調湿庫を活用すれば廃棄になるまでの時間が大きく伸びるのでフードロス削減にも効果を発揮します。

今までにない低温調湿庫はマスコミなどでも大きく取り上げられ、多くの問い合わせがあります。またこの調湿庫を搭載したトラックの開発も今後さらに進めていきたいと考えています。

私の会社としても自社オリジナル製品をもつことになり技術力のアピールになると同時に、地域の産業に貢献しながら地域と共に歩んでいくという会社の姿勢を世間に示すものにもなりました。

レタス栽培に取り組むことで私は生鮮野菜や果物の生産に従事する農家が宿命的に背負っている収穫即出荷ということに伴う問題を実感として知ることができ、今までにない低温調湿庫の開発を実現しました。

まさに私が産業機械の製造に関わってきた工業畑の人間であり、工場経営をしている人間だからこそ、農業の課題解決に貢献する機械設備として完成させることができたのではないかと思っています。

バイオマスボイラーを導入

私の野菜工場ではほかにもさまざまな機械化のアイデアを実地に移してきました。養液やハウス内環境のデータ収集や分析、コントロールは当初から自動化していましたが、生育したレタスの収穫は当初は人がはさみで切っていました。これを機械化してナイロンロープが回転してパネルの底面ぎりぎりで根を落とし、パネルの一部も一緒に収穫するという装置をつくりました。

パネルを残すことによって効率良く運搬用台車に積載できるようになり収穫作業の効

率は大幅に上がりました。またパネルの洗浄・消毒も自動化しました。さらに育った苗を定植する作業をロボットで行うことを考え、これは経済産業省のものづくり補助金を受けて、現在開発を進めているところです。

さらに大きな改良点として、工場の創業当初は冬場に必要となる根域の水温の制御（加温）のためにガス湯沸かし器を使っていたのですが、これを木の廃材を使ったバイオマス温水器に切り替えました。水温が安定している地下水を使っていたので冬場でも比較的温度は高いのですがやはり加温が必要になります。

このためのガス代は年間で７００万円に上っていましたが廃材利用のバイオマス温水器に切り替えることで大幅に削減することができました。バイオマス温水器については燃料となる廃材を県下から効率的に収集しチップ化することも考え、私の野菜工場の温水器だけでなく、エネルギー事業としての広がりをつくっていくことも考えています。

また鮮度保持装置以外にも農業の現場で活用できる産業機械や設備のアイデアが数多く生まれました。

例えばハウス用除湿機です。

農業用ハウスでは冬季に暖房を入れて温度を一定に保つことがしばしば行われますが、冬場に暖房を入れてハウス内の温度を上げるとビニール面に結露が発生してハウス内の湿度が100%近くまで上がってしまいます。

植物は常に葉の表面から水分を蒸散させているのでもともとビニールハウス内の湿度は高いのですが、その空気を暖めるとビニール表面付近の外気に接して温度が低い部分の空気が水蒸気を含みきれずに結露してしまうのです。ビニールハウスは壁も天井も全面がビニールですから結露は大量に発生します。結露による水滴が植物の葉に落ちれば病気が発生しやすくなります。

多湿に弱いメロンやトマト、ピーマン、パプリカ、ナスなどの野菜や観賞用植物は収穫にも大きな影響が出ます。またビニールの内側が結露すると熱が外に逃げやすくなり、表面の温度が下がってハウス内の温度も下がるので暖房効率が低下しエネルギーの消費量が増えてしまいます。

住宅の窓などでは複層ガラスなどにして外気と室内の暖気との間に距離を取り、窓付近の空気が冷えないようにしますがビニールハウスでそれはできません。有効な防止策は見つからないままでした。

そのとき工業技術センターではハウス専用除湿器の研究を進めていました。私の会社では工業技術センターの研究結果と技術を応用し、食肉加工センター向けの除湿装置の開発に取り組んでいます。

食肉加工センターでは天井に結露ができることによる衛生上の問題が発生しています。その解決のために、低温調湿装置によって天井付近に低湿度の空気層をつくる方法を確立し、製品化を進めています。

また輸送用の保冷ボックスの開発を断熱材メーカーと共同で進めました。従来、冷蔵が必要な生鮮野菜などは専用の冷蔵車で輸送が行われていましたが、この保冷ボックスを使えば、常温で物を輸送する一般のトラックに冷蔵品を混載して運ぶことができます。専用車を使わなくていいので農家が負担する輸送コストの軽減や希望に合わせた時刻・場所への配送も可能になります。

さらに保冷ボックスにボックス内の温湿度、CO_2量などの計測とリアルタイムでデータを発信する仕組みを設け、それを監視・管理するシステムを加えることも可能です。

それによって信頼性の高い輸送を実現し、生産農家が配送中の品質低下によるトラブルや収益の低下に悩むことがないような流通システムを提供できるようになります。

工業界が農業に貢献できること

実際に野菜工場を稼働させて見えてきたのは、生産物の生産性の向上や品質向上に工業的な発想や設備機械の提供が果たす役割は非常に大きいものがあるということでした。また農業生産は生産だけでなく、保管・輸送の問題を同時に考えなければ、安定した収益と経営に結びつかないということも分かり、この面でも工業界が貢献できることが非常に大きいことが明らかになりました。

私の野菜工場については地元の農家やＪＡ、行政、大学生や専門高校生などが高い関心を寄せ、多くの人や団体が見学に来ています。ＪＡ日向女性部の企画で小学校の1年生から6年生まで約１００名が見学に来たこともありました。

農業の工業化による課題解決に関心が高まり、また高校生や大学生が地元での自分の活躍の場として新しい農業の形である野菜工場の可能性を実感してくれたら宮崎の農業の発展にとって価値のあることだと思います。

今後はレタス以外の栽培も検討しています。例えば椎茸はその有力候補の一つです。椎茸は温度と湿度の変化に敏感ですからできるときは一気にできてしまいます。しかしハウス内の温度と湿度を細かく厳密にコントロールできる環境で栽培すれば収穫の時期を分散させることができます。野菜工場での栽培品目として有望だと思います。

またこの野菜工場でのレタス栽培のノウハウや温度・管理の仕組み、その効果や、さらに生産と貯蔵・流通をどう一体的に考えていくべきかというこれまでのさまざまな学びや教訓を農業の現場にも伝えていきたいと思っています。

エネルギーの自給率をさらに高める

地元宮崎の課題を解決し活力のある地域にしていく――そのために私の会社が取り組

むべきテーマは第一に農業だと考え、工業の視点を活かした野菜工場に取り組みました。
次に大きなテーマになると考えているのがエネルギーです。実際のところ宮崎県は石油エネルギーでは１００％、天然ガスは90％、電力は54％を県外に依存しています。それだけ県民所得が県外に流出していることになります。県際収支をエネルギー面で見ると大幅な赤字で電気料金に限っては約39億円が県外に流出していると考えられます。もともと埋蔵資源がないので石油や天然ガスの自給を今以上に増やすことはできません。しかし再生可能エネルギーをもっと活用して発電量を増やし電力の自給率を高めることは可能です。

私の住む宮崎県はひなた指数に表れているように太陽光や太陽熱に日本一恵まれた地域です。また実は雨も多く降ります。しかも面積の76％が森林ですからダムをつくって水を落とす水力発電はもちろん大規模な施設をつくらずに川などの水力を活用する小水力発電にも適した地勢です。また林業や畜産が盛んですから木質材料や動物の糞尿などを原料として活用するバイオマス発電の条件も調っています。

しかし電力供給における再生可能エネルギー自給率（地域の民生・農林水産用エネルギー需要量に対する同地域の再生可能エネルギーの供給量）は46％にとどまっています。もちろん首都圏や大都市を擁する都府県、自然条件に恵まれず再生可能エネルギーが確保しにくい県に比べれば非常に高いのですが地域のポテンシャルを活かせばこの割合をもっと高めることは十分可能です。

また再生可能エネルギーで発電した多くの電力を地域外に売電してしまい、地域内で使われていないという現実もあります。発電量そのものは多くてもそれが外に出て行ってしまっているのです。

再生可能エネルギー利用をもっと拡大して自給率を高め、さらにそれを県内で消費するようにしていくことは直接的に県際収支を改善して地域経済を豊かにするだけでなく発電関連事業を育て、新たな雇用を生むことにもつながります。

私の会社では自社で使う電力エネルギーを再生可能エネルギー由来のものに順次切り替えることにして、すでに照明については太陽光発電パネルの設置と発電した電気を貯める蓄電池の導入で１００％再エネを利用したものにしています。事業運営を１００％

再生可能エネルギーで調達することを目標にしているＲＥ１００も宣言しており、今後もさらに再エネ利用率を高めて２０３０年には電力会社の電力供給網から完全に独立するオフグリッド化を目指しています。

電力供給についてはそれだけでなく、電力の地産地消を広めていくための地域電力会社をほかの民間企業と共同で設立しました。太陽光やバイオマス、小水力などを使って発電した電力の卸売りをする会社で地域の発電事業者と消費者をつなぎ、地域内での普及を後押ししていくことを考えています。

当初は再エネ利用の電力を購入して販売するというつなぎ役ですが日向市や再生可能エネルギー利用の開発を担う会社との連携も進めており、将来は発電事業にも取り組んでいく計画です。

宮崎県の再生可能エネルギー自給率をさらに高めていくことに貢献するだけでなく、この会社を地域の魅力的な仕事先の一つとして確立し、地域の発展を担う人材をここから育てていくことができればと思っています。

バイオマス燃料について日夜考える

私の野菜工場ではランニングコストの削減を目指して水耕栽培に使う水の加温のためにバイオマス温水器を導入しました。それまでのガス温水器利用に比べ大幅な経費節減が実現し、バイオマス発電のメリットを改めて確認することができ、ぜひほかの農家にもこの設備を紹介したいと思っています。また、バイオマス燃料を考えるうえで、これからの時代に不可欠なのは「半炭化」です。半炭化とは木製バイオマスを200～300℃の高温で熱分解し、炭素成分が多い物質にすることをいいます。半炭化で出来上がる半炭ペレットは木製ペレットより体積あたりの保有エネルギー密度が高いのが特長です。使うことで輸送や貯蔵の効率を上げることができ、さらには石炭混焼ボイラーなどのCO_2削減に役立つ補助燃料としての利用価値もあります。

宮崎県は林業が盛んですので原料を供給してくれる森林業者と連携し、私は半炭化材の原料供給・製造・製品納入フローを作成しました。ドラム缶の簡易装置を用いた剪定草木の半炭化実験や、廃プラと半炭化剪定草木を用いた高発熱量固形燃料試作の実験を行うなど積極的にバイオマス資源の有効利用について考えています。

そこで私は行政や産業廃棄物を扱う事業者、林業や製材関連の事業者、再生可能エネルギーの普及促進を支援している団体などに声を掛けて研究会をつくりました。バイオマス発電の原料となるものがどこにあり、それを誰がどのように加工し流通させるか、常に低価格で安定供給できるように全体を誰がどう管理するかといったことをテーマに検討を進めています。地域におけるバイオマス発電推進の仕組みをこの検討のなかからつくり上げていきたいと考えています。

持続可能な地域をつくる

課題解決を通した農業の振興、地域の特性に合ったエネルギー自給の取り組みを進めると同時に私は宮崎の未来について地域の人々、特に将来を担う高校生や大学生と共に現在の課題とその解決の展望を探るという活動を行ってきました。

一企業としてのものづくりとは直接関係しない取り組みですが、地域に拠点を置く地元中小企業としてこの課題は避けて通ることはできません。

ＳＤＧｓ（Sustainable Development Goals：持続可能な開発目標）の目標達成年はすでに8年後に迫りました。持続可能な社会を築き上げるために残された時間は決して長くありません。

日本の地方都市においても、大都市圏や中核都市を大きく上回る人口減少や少子高齢化のなかでいかに持続可能で誰一人取り残さない豊かな社会を築いていくか、その道筋を描くことは待ったなしの課題です。それは行政に任せておけばいいという事柄ではなく地元企業としての私たちの存立基盤に関わる問題です。

具体的には宮崎の民間企業が２０２１年から進めているＭＩＹＡＺＡＫＩ ＳＤＧｓ ＡＣＴＩＯＮというイベントがあります。高校生、大学生、社会人の３者が一つのグループになり、宮崎県のＳＤＧｓについて考えて課題の抽出と解決策の検討を行い、プレゼンテーションするというものです。私の会社もこのプロジェクトに参加しました。

また日向市では持続可能なまちづくりを目指すひまわり塾をスタートさせていますが、私の会社からも3名が参加し、市役所で学びの成果をプレゼンテーションしました。農業、エネルギーに関わる具体的な取り組みと並行して地域の未来を考える場に企業として積極的に参加することが重要だと考えての参加でした。

そもそもＳＤＧｓはその目標達成に企業の参画とその力を求めているという大きな特徴があります。

知られているようにＳＤＧｓの前にはＭＤＧｓ（Millennium Development Goals：ミレニアム開発目標）と呼ばれるものがありました。新世紀の始まりに当たる２０００年に開かれた国連ミレニアムサミットで採択された「国連ミレニアム宣言」に基づき、極度の貧困と飢餓の撲滅、ジェンダーの平等の推進と女性の地位向上、乳幼児死亡率の削減、エイズ、マラリアその他の疾病の蔓延防止など8つの目標が掲げられ、２０１５年を目標に取り組みを進めることを明らかにしたものです。一定の成果は得られたものの先に挙げたような途上国に特有な課題とその解決に重きがおかれ、それ以外の国々での格差の問題や社会的な不公正・不平等などの問題、全世界的な環境問題などが取り上げられていないなどの反省が行われました。

そのうえで２０１５年に新たに設定されたＳＤＧｓはより広く地球を俯瞰し「経済」「社会」「環境」を統合した17の課題を示し国だけではなく企業や個人も参画して

２０３０年のゴールを目指すべきだとしたのです。

つまりＳＤＧｓはそのスタートの時点からあらゆる企業に行動を求めたものでした。企業が動かなければ解決しない課題ばかりだからです。

実際欧米を中心にＳＤＧｓに照らして自らの行動を律し目標達成に貢献しようとする企業が続々と登場し、ＳＤＧｓはＭＤＧｓでは見られなかった世界的なうねりになっていきました。

Ｇｏｏｇｌｅは２０１７年には世界中の自社の事業活動の年間消費電力の１００％を賄える再生可能エネルギーを購入して使っており、２０３０年までには業務上の全電力使用量をすべて同じ地域電力網の再生可能エネルギー由来のものにすると宣言しています。

Ａｐｐｌｅも２０１８年には全世界の事業活動で使う電力を１００％再生可能エネルギー由来のものにしており、２０３０年までに同社の製品の製造に関わるすべてのサプライチェーンの企業が１００％再生可能エネルギー由来のものに転換すると明らかにしています。

Ａｍａｚｏｎも２０２５年までに世界の使用電力のすべてを再生可能エネルギーにするという目標を明らかにしています。さらにＭｅｔａ（旧Ｆａｃｅｂｏｏｋ）も、すでに２０２０年にすべての事業運営に１００％再生可能エネルギーを使用しているとしています。

これに比べ、日本の企業の取り組みは遅れているといわざるを得ません。ＳＤＧｓはグローバル企業だけが取り組めばいいものではありませんし、どんなに規模の小さな企業であっても事業活動をする限り世界の一員として、世界基準で自分を見なければならないと思います。今からでも、そして地方からでもできることを着実に進めていかなければなりません。

私の会社は２０１５年に地域の視点や県内資源を活用した事業活動・地域経済の活性化・地域の産業振興に貢献をしたとの理由で宮崎中小企業大賞を受賞することができました。また２０１８年には経済産業省が「地域未来投資促進法」に基づいて選定する地域未来牽引企業に選ばれました。

環境関連活動の積み重ねのなかでいろいろなことにチャレンジしている地元のユニークな企業として行政に認識してもらうことができ、地元での知名度は大きく上がりました。採用活動にも好影響が出ています。また先の経済産業省の地域未来牽引企業の認定は法人税や事業税などに関する軽減措置が適用されたり、運転資金や設備資金を借り入れる際の金利が優遇されたりと、経営面でもさまざまなプラスをもたらすものになっています。

地域企業として地域のために活動することが評価され、地域企業としてさらに力を付けることにつながるということを、私は野菜工場をはじめとするさまざまな活動を通して知ることができました。

［第5章］

地域循環型経営を実現すれば、地方企業の存続と真の地方創生につながる

イノベーションを起こす仕組みをつくる

地域のすべての人を巻き込みながら地域の課題と向き合い、ものづくりの技でその解決に貢献し地域の資源を活用して新たな価値を創造していくことを進めるべく、私の会社ではさまざまな取り組みを進めてきました。

なかでも私が大切にしていたのは地域において横のつながりをいかにつくるかでした。その試みのなかから産学官の連携組織MANGOの活動が始まり、「次世代リーダー育成塾こころざし」が生まれ、日向市産業支援センター「ひむか-Biz」の開設の支援と運営の受託を行ってきました。

また宮崎大学地域資源創成学部や同大学院地域資源創成学研究科の学生、工業高校を中心とした専門高校の生徒たちとの交流などを出前授業や工場見学、インターンシップなどという形で積み重ねました。

そのなかで私が常に考えていたのは、地域にとって価値のある事業を、実際にいかにして立ち上げるのかということでした。ただ議論していても仕方がありません。きれい事に終わってしまうことも少なくなかったのです。実際いろいろ活動をしてネットワークを広げ、出会いの場や議論の場をつくってもなかなか新規事業の立ち上げには至りませんでした。

そこで私はこれまでに議論を重ねてきた人々と相談しながら事業創造に向けた実践的なローカルエリアプラットフォームをつくろうと思いました。一つのエコシステムとして持続可能なオープンイノベーションの仕組みづくりが必要だと思ったのです。

従来、各地方では行政の主導で新産業創生会議という仕組みがつくられてきました。しかし実際に新規事業が生まれたという成功例はほとんど耳にしたことがありません。私もこうした会議体に所属したり取り組みを見学したりしたことがありましたが、まず感じたのは話し合う時間が短いということでした。行政に招集される形でメンバーが集まるのですが最長でも2時間くらいなのです。

しかも自由に議論できるかというとそうでもありません。運営側が出席者に負担を掛けてはいけないと考えているからなのか、たたき台となる原案が事務局案としてあらかじめ用意されていてそれについてそれぞれコメントを求められ、出席者がひと通り意見をいう進行が一般的でした。そして議論が深まる前に終了時間が来てお開きになるのです。これでは突っ込んだ話し合いはできず、とうてい新しい事業がここから生まれるとは思えませんでした。

そうした先例をいくつも見ながら私たちが目指したのは地域のさまざまな分野の人が集まり共に学び、それぞれの視点からアイデアを出し合って実際にイノベーションを起こしていく場をつくることでした。

何度かの準備会議を経て2020年6月に私が代表になっている一般社団法人日向地区中小企業支援機構が運営する日向市産業支援センター「ひむか-Biz」内に「ひなたイノベーションセンター」（以下HIC）を設けました。

目的として掲げたのは「地元企業とそれを支える多様な人財の相互支援によって、日向市の地域活性化と、次世代のための輝かしい将来を実現するために、新たな事業を創造する場となる」ことです。そして具体的な目標としてスタートから2年後に複数の事業を開始することを決めました。

メンバーは地元の中小企業者、宮崎大学（地域資源創成学部）、宮崎県立日向高等学校と農業高校の高校生、首都圏の副業・兼業人材、金融機関、報道機関、日向市および産業支援団体、日向地区中小企業支援機構などの人々で総勢約40人です。全員が所属組織の代表ではなく自由な個人という立場での参加です。

何か新しいことを始めようと話し合いの場をもっても往々にして「まだ早い」とか「変えすぎる」「お金が掛かり過ぎる」「たぶん許可が取れない」といったネガティブな言葉が出てきます。しかし新しいアイデアは常に生煮えのものであり、それを論理で潰してしまうのは簡単なことなのです。そんなことをしていたらイノベーションは生まれません。「いいね！」「面白そうだ、やってみよう！」というポジティブな話法を心掛けていくことをまず約束しました。

また具体的な手法としてスタートアップ企業などが用いるビジネスモデルキャンバスを使うことにしました。新事業創造に向けて「顧客は誰か」とか「提供価値は何か」、「サービスをどう届けるか」「コストはどれくらい掛かるか」「どのようにして収益を上げるか」など9つの要素に分解して検討を進めるというものです。このキャンバスを前提にすれば、決められた共通の土俵のうえで議論を拡散させることなく積み上げていくことができます。

さらにデザイン思考も意識しました。これまで必要とされてきたのは与えられた問題を速く正確に解く力です。しかし今求められているのはそもそも何が課題なのかを見極めるところから始め、これまでの常識や枠組みにとらわれない思考力や想像力を駆使して考えを組み立てていくことです。

それを可能にするのがデザイン思考です。市場のニーズをしっかりとらえて、それを満たすものかどうか問いかけと修正・改善を何度も繰り返しながら新たな価値を創り出していく取り組みです。

これまでは商品やサービスの提供側が自社の利益を拡大するために自社でつくれそうなものを自社の視点での分析や論理で一方的に組み上げ、それを解答として市場に送り出してきました。何が最も求められているかということを考えるのではなく、何ができそうかという発想で行われた「プロダクトアウト」の追求だったということもできると思います。

しかしそれでは本当に魅力のある事業は創造できません。マーケットと親密に対話をして修正しながら前に進む「マーケットイン」の発想が重要なのです。

ＨＩＣはスタート当初から大学生や高校生も正式のメンバーとして入ってもらっています。商品やサービスを受け取る側の思いや声を聞くにはこれからの担い手の力が必要だと考えたからです。

これまではたとえオープンイノベーションという名前が付いていても、単に大企業が自社にない技術をもつベンチャー企業と業務提携するとか、補完する技術をもつ複数の企業がグループをつくるとか、あるいは大学と技術や知財のやりとりをするといったものでした。これらは結局ある企業や企業グループの利益向上を実現するために進められるものだったのです。

しかし本来のオープンイノベーションは一企業の利益ではなく地域の発展という社会的な目的のために地域のステークホルダーである市民や企業、大学、行政がコラボレーションし対話しながらつくり上げていくものです。そのためにはそれらのステークホルダーを一つにまとめる今までにない有機的なエコシステムが必要です。これまでの産学官連携組織ＭＡＮＧＯ、日向市産業支援センター「ひむか-Ｂｉｚ」、「次世代リーダー育成塾こころざし」の設立や活動展開、さらには多くの学生・高校生との交流の積み重ねがＨＩＣとして結実したと思っています。

地域循環型経済のために私の会社が貢献できること、そして自社の経営にもメリットになることを数々考え試みてきましたがその集大成がＨＩＣという地域イノベーションプラットフォームの実現でした。

組織を背負っての参加や発言はない

準備会議やキックオフミーティングを経て正式に発足したＨＩＣは２０２０年の夏、目標である2年後の新規事業スタートに向けて動き出しました。運営事務局は私が代表理事を務めている日向地区中小企業支援機構と日向市が務めています。

毎月1回、第2土曜日の14時から17時までと決めて定期的に総会を開催することにして毎回3時間を確実に確保し、また土曜日の午後ですから参加者は会議終了後も比較的自由に時間を使うことができます。実際その後のフリートーキングのなかから、大きなブレークスルーになるようなアイデアが生まれたりしてきました。

予算は基本的にはゼロです。日向地区中小企業支援機構の活動として位置づけているので支援機構の活動に対して市が確保している予算のなかから最低限必要となる運営費を捻出しています。

仮に行政に大きな予算を付けてもらって運営すれば当然一定の期限内にこういう成果を出しなさいという行政の意思が入ります。公金である税金を使うのですから、それは当然です。しかしそうなれば議論の仕方も参加者の人選もいろいろな制約が生まれかねません。ＨＩＣは行政もメンバーとして参加するけれどもその関与が活動を左右するような必要以上に強いものになることは避けるというのが原則です。

会合では参加者はグループに分かれ、グループ毎にさまざまな事業アイデアを俎上に載せ、検討していきます。

「地域通貨の活用」「地域内新電力会社の設立」「リサイクルショップで廃棄または輸出されてしまうものの地域内活用」「家庭に問題を抱え、行き場所を失っている人の居場所づくり」「高齢者の化粧療法」「第3セクター方式での運用が行き詰まっている施設の再生」などさまざまな地域課題が取り上げられ、それを5つに絞りそれぞれについて先に紹介した「ビジネスモデルキャンバス」の枠組みに沿って「その事業の顧客は、そこではなくてもっと別ではないのか」とか「その人には違う体験価値が提供できるのでは」といったディスカッションを活発に展開しています。単なる話し合いや現状の確認で終わらせるのではなく、2年後の事業化という明確なゴールを見据えながらリアリティのある議論を重ねています。

また組織の看板を背負わないという原則があるので、たとえば行政から参加しているメンバーも一人の市民として考え発言し、周囲も行政としての意見を求めることはありません。ほかのメンバーも同様でそれぞれの所属組織での経験は貴重なバックボーンとしてあり、発言に厚みやリアリティを保たせるものではあってもメンバーの発想や発言内容が所属組織に縛られることはありません。

高校生も正式メンバーとして参加

ＨＩＣには正式メンバーとして高校生が10名近く参加しているのが特徴です。彼らも積極的に発言し、グループ単位の発表などはむしろ高校生が行うことが多くなっています。地域でイノベーションに取り組む組織にこれほど多くの高校生が参加しているのは非常にまれだと思います。

しかし高校生も地域を構成するステークホルダーであり、間もなく社会に出て地域の将来を背負う重要な存在です。

実はＨＩＣでは副次的な目的として地域の大人が地域のために本気で取り組んでいるところを高校生に見せるということも考えていました。地域を背負う次世代を育てたいと思うからです。職業教育といっても単に技術を学んだり動いている機械を見るだけでは仕事についての知識は多少増えても何のために働くのかとか、地域の未来をどうするのか、いかに生きていくのかといったことを考えることにはつながりません。ＨＩＣのような場所に加わり、さまざまな議論を経て事業が出来上がるプロセスや、そこに注がれる大人たちの熱意に触れることこそ大きな意味があると思います。このとき初めて普段学校で習っていることが、役に立つものとして自覚されるのだと思います。

実際に参加している高校生はこのＨＩＣを非常に積極的に受け止めています。1年が経過した時点での振り返りのなかでも「最初は大人のなかに入って発言することに不安を感じていたが回を重ねるうちに自信が付いた」「市内にどんな企業があり、何を考えているのか初めて知ることができた」といった意見が相次ぎました。

高校3年生として参加したある生徒は大学進学後も引き続きＨＩＣに加わり、地域に対して自分に何ができるかを継続して考え、将来も地域に貢献できる仕事がしたいと話しています。

地域の力で地域の未来を創る

スタートから2年半が過ぎ、いよいよ具体的な事業化のフェーズに入るなかで今後ＨＩＣの課題として考えていかなければならないことは2つあると思っています。

1つは検討してきたアイデアを事業として離陸させるために最後の壁を突破するスキ

ルをもった専門性の高い人材が必要になります。そういう人が加わってくれた場合に、どういうメリットを提供できるのか。「私たち同様にボランティアでお願いします」では通用しないと思っています。

　地域の力でイノベーションを起こすという理念ではＨＩＣは固く結束していますが、実際に具体化するための仕組みをひねり出せるのか、そのための具体策と資金をどうするのかということです。シリコンバレーにはベンチャーキャピタリストがついていますがＨＩＣの周囲にはいません。地域の人が幅広く参加する、志をもったボランティア組織であるＨＩＣと、事業を担っていく主体をどう絡めていくのか、この点を明確にしていかなくてはなりません。

　ＨＩＣのもう1つの課題は、個別の事業を実際にスタートさせていくなかでいかにして地域全体の未来という大きな絵を描き続けるかということです。誕生する事業は個別の課題に対する解答であり、いわば部分最適を求める活動です。

　しかしＨＩＣは地域の多様なステークホルダーが集まり、この地域の未来という全体最適を考えるために存在しています。個別の事業を走らせながらもこの地域をどういう方向に引っ張っていくべきなのか。全体最適は何かということを明確にして、そこから自分たちがどこまで進んでいるのか、残された課題は何か、そのためにＨＩＣは何をしていくのかということを考え続ける必要があると思っています。

ＨＩＣの取り組みはまだ始まったばかりですが多くの人の知恵と力に助けられ、励まされながら志を同じくする人の輪は大きく広がりました。地域の未来を地域で考え、課題を解決しながら地域に新たな価値を生み出していこうという思いが大きな一つの流れとしてつくり上げられています。

地域資源を地域の力で新たな価値に変える地域循環型経営を貫き、地域の総力で未来を切り拓いていきたいと思います。

おわりに

学生時代を含め20年近く離れていた宮崎に帰り、未知の会社経営に取り組んだ私には焦燥感と無力感しかありませんでした。

長年にわたって下請けという立場に甘んじて楽な思いをしてきた会社に、経営の苦境を切り抜ける力があるのか――。

豊かな地域資源の存在を忘れたかのように大企業誘致や大工場誘致に走り、かえって衰退を招いてしまったかに見える地元に再生の力が残っているのか――。

私の目にははなはだ疑問だったからです。

しかしまもなく会社にも地元にも一緒に頑張ろうと声を掛ければやりましょうと応えてくれる、すばらしい仲間や先輩・後輩がたくさんいることを知りました。私自身が変わり正しいと思うことを行えば必ずその輪は大きく広がっていきます。２００１年に経営を預かってからの21年はそのことを知り勇気づけられ、多くの人と共に地域の未来を展望することができるようになった時間でもありました。それが具体的にどのようなものであったかは本書に記したとおりです。

頑固で分からず屋であったに違いない私に辛抱強く付き合い、一緒にさまざまな取り組みを進めてくれた従業員の皆さん、経営者としての心構えや考え方、会社経営の施策や地域再生に向けた知恵を授けてくださった宮崎県中小企業家同友会の先輩や仲間の皆さん、本当にありがとうございました。

また、農業・商業・工業の連携による地域一体型の取り組みについては民間企業が主導しつつも行政の協力が必要不可欠でした。リスクを恐れてチャレンジすることができないような従来の行政イメージを覆すために、アドバイスと数多くの議論の場をくださった自治体や行政関係者の方々に改めて感謝申し上げます。

そして縁あって親しく話し合う機会に恵まれ、私に多くの気づきと学びをくれた全国の企業家、研究者、高校の先生方、さらには地域の未来はきっと大丈夫だと確信させてくれた頼もしい高校生の皆さんにお礼を申し上げたいと思います。

また私に会社を託した7年後の２００８年に他界しましたが会社の創業者である父に、そして妻と息子に感謝の気持ちを改めて述べたいと思います。

特に父には仕事の本質や経営のあり方について細かく教示されたことはありませんでしたが、節目節目で勇気をもって決断し、会社と社員を守り抜いてきたこと、自分より先に人のことを思って業界や地域を優先して行動してきたこと、そして何事も人のせいにすることなく主体的に生き、それに全力を投じる一貫した姿勢は私にとって大きな学びとなっています。

私にはもう一人のメンターがいます。それは幕末の志士を育てた吉田松陰です。

次の世代を育てていくことに力を尽くした教育者であり、「国のために、世のため人のために何ができるか」を考えて行動した革命家といってもいい存在であり、私の人生を指し示す師匠ともいうべき存在です。

松陰の言葉や残した功績は非常に大きなものですが、特に「志」を立て何ものにも惑わされずに行動をした生きざまに魅了されます。

「志を立ててもって万事の源となす」「菲才或いは敗をいたすも、素志は終にくだけず」「身の職を尽くして世用に供するのみ」といった言葉が残されています。また「夢なき者に理想なし、理想なき者に計画なし、計画なき者に実行なし、実行なき者に成功なし。ゆえに、夢なき者に成功なし」とも語っています。

吉田松陰が28歳の時に主宰した山口県萩市の松下村塾の名前はよく知られています。まさにここから久坂玄瑞、高杉晋作、伊藤博文、山県有朋、山田顕義などの明治維新の原動力となり、近代日本の礎を築いた逸材が続々と輩出されたのですが、実は松陰が松下村塾で実際に教えた時間は、わずかに1年半に満たないのです。

これほど短い時間に、なぜあれだけの人間を育てることができたのか。それはあまたの知識ではなく、生きるとは何かということを教えたからだと思います。実際、松陰には主著と呼べるようなものはありません。ただ自分の境涯を語った自伝的な文書と膨大な手紙類があるだけです。松陰自身が教育とは人間として生きる道を伝えることだと語っています。

仕事に貴賤はありません。大事なのはその仕事を通して、世の中に役立つ何をやるのかということです。その職分を志にしたがって尽くすことです。それが一人ひとりのアイデンティティを確立するのだと思います。

いつの日か私も幕末の志士たちを育てた吉田松陰のように、若者たちを奮い立たせることができる人間になって、世界に羽ばたいていくような人を輩出する小さな塾を日向につくれたらいいなと思っています。

島原俊英

島原　俊英（しまはら　としひで）

株式会社ＭＦＥ ＨＩＭＵＫＡ代表取締役社長

１９６２年生まれ、宮崎県日向市出身。１９８５年熊本大学工学部生産機械工学科卒業後、プラント輸出を手掛ける大手総合化学メーカー宇部興産に入社し、15年間勤務し、海外赴任も経験する。１９９９年、父が創業した株式会社日向中島鉄工所に入社。２００１年には社長就任。自社が従来、大手エンジニアリングメーカーの下請けとしての役割しか果たせていないことへの反省から、食、エネルギー、環境の３つのテーマの下で、モノづくりの技を生かした地域課題解決への取り組みを始める。

一般社団法人 日向地区中小企業支援機構理事長

２０１５年「宮崎中小企業大賞」受賞

本書についての
ご意見・ご感想はコチラ

地域循環型経営

二〇二二年八月三一日　第一刷発行

著　者　島原俊英

発行人　久保田貴幸

発行元　株式会社 幻冬舎メディアコンサルティング
〒一五一-〇〇五一　東京都渋谷区千駄ヶ谷四-九-七
電話　〇三-五四一一-六四四〇（編集）

発売元　株式会社 幻冬舎
〒一五一-〇〇五一　東京都渋谷区千駄ヶ谷四-九-七
電話　〇三-五四一一-六二二二（営業）

印刷・製本　中央精版印刷株式会社

装　丁　株式会社 幻冬舎デザインプロ

検印廃止

Printed in Japan　ISBN 978-4-344-94098-7 C0034
幻冬舎メディアコンサルティングＨＰ　http://www.gentosha-mc.com/